令丈ヒロ子 作 トミイマサコ・絵

妖怪コンビニ

化けねこ店長VSコンビニ害獣

2

あすなろ書房

もくじ

毎日がツキヨコンビニ！

「来たよー！」

アサギは、元気よく、みんなに声をかけた。

アサギが学校の帰りに、今日もやってきたのはツキヨコンビニ。

もともとコンビニ好《ず》きのアサギなのだが、ツキヨコンビニはアサギにとって、特別《とくべつ》で大《だい》・大《だい》・大《だい》好《す》きな場所だ。

「アサギさん！　いらっしゃいませ」

声をかけてきたゾンビ店員の氷《ひょう》くんは、灰色《はいいろ》の顔色で、首や手足は枯《か》れ枝《えだ》みたいにパリパリにひびわれ乾燥《かんそう》している。しょっちゅう腕《うで》が取れたり、首が折《お》れたりするのだが、すぐに元にもどせるから気にしない。いつも元気いっぱいだ。

「うめ也《や》は？」

「店長は、今、バックヤードで作業中です」

答えた氷《ひょう》くんは、カウンターの奥《おく》の、スタッフ専用《せんよう》の控室《ひかえしつ》の方を指さした。

すると、足もとからイカの足のような長い触手《しょくしゅ》が伸《の》びてきて、アサギがおろそうとしたランドセルをさっと受け取った。

「ありがとう、もちこちゃん」

アサギが床《ゆか》に向かってお礼を言うと、触手《しょくしゅ》の持ち主……スライム型妖怪《がたようかい》のもちこちゃんが、つぶらな瞳《ひとみ》でにこっと笑《わら》った。

もちこちゃんはアサギの手から、体操着《たいそうぎ》の入ったサブバッグも受け取ると、キュルルッと床《ゆか》をはって、イートインコーナーの真ん中の席《せき》……アサギの定席《じょうせき》に運んだ。

もちこちゃんはよく働《はたら》くし、全身を使った床《ゆか》そうじがばつぐんにうまいアルバイトなのだ。

「おー、アサギ！」

イートインコーナーに座《すわ》っていた、常連客《じょうれんきゃく》のばなにーさんが手を振《ふ》った。大きなバナナの形のスーツを着た妖怪《ようかい》だ。

飲食のとき以外《いがい》は、バナナスーツからめったに顔を出さないのだけれど、スーツの中身はとんでもない美形。性格《せいかく》はサバサバしてて、陽気！　おまけにアサギに優《やさ》しい。

「土羅蔵《どらくら》さんは？」

「まだ来てないね」

もう一人の常連客《じょうれんきゃく》、土羅蔵《どらくら》さんは、吸血鬼《きゅうけつき》ドラキュラそっくりの姿《すがた》なのだが、生ぐさいものが苦手で血は大嫌《だいきら》い。香《かお》りのよいコーヒーを愛《あい》する、品《ひん》のよい老紳士《ろうしんし》だ。

だけどアサギを怖《こわ》い目にあわせる者がいたら、目を真っ赤にして牙《きば》をむいて怒《おこ》る。

ここは働《はたら》く者もお客も、妖怪《ようかい》や死霊《しりょう》。つまりこのコンビニは人外《じんがい》向けのお店なのだ。

アサギはふつうの小学五年生なのだが、特別《とくべつ》にここの正会員にしてもらった。

基本《きほん》、生きてる人間は対象外《たいしょうがい》のこの店で、アサギだけがなぜ正会員になれたのか、くわしい理由はわからない。

でも、人外《じんがい》たちを怖《こわ》がらないどころか、すぐに仲良《なかよ》くなった上に、妖怪《ようかい》のお客たちが喜《よろこ》ぶイートインメニューを次々《つぎつぎ》考え出したのが、ツキヨコンビニグループの社長に認《みと》められたからだと、アサギは思っている。

「アサギ、来たの？」

「うめ也《や》！」

カウンターの奥《おく》から出てきたのは、ねこ又妖怪《またようかい》のうめ也《や》店長。

真っ白のつやつやの毛並《けな》みで、ひたいに灰色《はいいろ》の梅《うめ》の花のもようがある。

高い身長、細マッチョの体にツキヨコンビニの青いエプロンが似合《にあ》う。きりっとつり上がった目尻《めじり》に高い鼻、クールなイケメンねこだ。

このうめ也《や》店長、じつはアサギの家で飼《か》っているねこ。つまりアサギはツキヨコンビニの店長の飼《か》い主さまなのだ。

「アサギ、またここで宿題やるつもり？」

うめ也《や》はライオンみたいに太い腕《うで》を腰《こし》に当てて、聞いてきた。二叉《ふたまた》に分かれたしっぽを、ゆらゆら振《ふ》っているのは、「これは気に入らないな」と思っているしるし。

「別《べつ》にいいじゃん。イートインコーナーでは、お店のものを飲食しながらだったら、そのぐらい自由なはずだよ。それにうめ也《や》、宿題すませないと店に来ちゃダメってすぐ言うし」

「アサギが店で遊んでばっかりいて、勉強がおろそかになるのが心配なんだよ」

「だからお店で宿題するんだって。うめ也《や》だって、目の前で宿題してたら、安心だよね？」

「……土羅蔵《どらくら》さんに答えを全部教えてもらえるしね」

うめ也《や》に言われて、うぎゅっとアサギは口を閉《と》じた。

（くう！　うめ也《や》、鋭《するど》い！）

じつはその通りだったからだ。

「土羅蔵《どらくら》さんは教養《きょうよう》があるからなあ！　勉強を教えるのもうまいし。つい、頼《たよ》っちゃうよなあ」

ばなにーさんが、バナナ皮のスーツの中で、けらけら笑《わら》って言った。

うめ也《や》は店ではカッコよくて、頼《たよ》りになる店長だし、家ではおとなしくてかわいい飼《か》いねこだ。だけど、ちょっとだけ問題がある。

アサギのことになると、めんどう見がよすぎる。それに心配性《しんぱいしょう》なのだ。

アサギは今、ママと二人（と、うめ也《や》一匹《ぴき》）で暮《く》らしている。病院の眼科《がんか》に勤《つと》めているママは、いつもいそがしいし、持ち前の性格《せいかく》もあり、細かいことをあまり言わない。

ママよりもアサギのことを常《つね》に気にして、こまごま口出しするうめ也《や》のことを、ツキヨコンビニのメンバーは「過保護《かほご》パパ」とこっそり呼《よ》んでいる。

「お話し中すいません！　アサギさん、ちょっといいですか？」

氷《ひょう》くんが声をかけ、タブレットの画面をアサギに見せた。

「どれがよさそうだと思います？　仕入れに迷《まよ》ってて」

氷《ひょう》くんが見せたのは、スイーツの新商品一覧《いちらん》の画像《がぞう》が並《なら》んでいる注文ページだ。

「へー、『もちもちうさぎだんご』かわいい！　でもこっちの『真ん丸ふわふわカステラ』もいいなあ。キレイな黄色」

「なに？　黄色の新スイーツ？　おおー、いいイエローだね！」

黄色い食べ物に目がないばなにーさんが、二人の後ろからタブレットをのぞきこんだ。

「やっぱりその二つですかね！　じゃそれ注文しよう」

「……氷《ひょう》くん。せっかくきみにまかせたんだから、アサギをあてにしないで、自分の判断《はんだん》で発注商品を決めてくれよ」

うめ也《や》は、今度は氷《ひょう》くんを注意した。

「だって、アサギさんの考案《こうあん》した新メニュー、『チーズがけポテトフライ・トリハダ・トッピングパウダー付《つ》き』、すごい人気なんですよ！」

「そうらしいな！　ほかのツキヨコンビニでも、よく売れてるって聞いたよ」

ばなにーさんが言った。

「ですよね？『イエロースイーツ盛《も》り』『イエローカルボナーラうどん』に続《つづ》くヒットメニューで、もう、うめ也《や》店長の飼《か》い主さま考案《こうあん》シリーズは、今や人気ブランド化してるんですよ！　そんなアサギさんのセレクトは、やっぱ聞きたいじゃないですか！」

「ヤダ、人気ブランドだなんてー。どれも、ここのみんなに食べてもらおうと思って考えた、カンタンメニューだしー。ふふふ♪」

言いながらも、アサギはうれしくてたまらない。

もともとアサギは、コンビニのものを使ってかんたんに作れる、コンビニクッキングが好《す》きだった。

それがこのツキヨコンビニに出入りするようになってから、なぜか次々《つぎつぎ》といいメニューがひらめくようになった。人間向けより、人外《じんがい》向けメニューを考える方が、自分に向いていたのかもしれないと思うほどだ。

「確《たし》かにアサギの考えたメニューはどれもお客さまに好評《こうひょう》だ。しかし、アサギは人外《じんがい》じゃない。学校や規則《きそく》正しい人間生活を優先《ゆうせん》しないとダメだ」

「もうそれ、聞きあきたって！」

「おやおや、今日もにぎやかですね」

くすくす笑《わら》いが聞こえた方を見上げると、いつのまにか土羅蔵《どらくら》さんがイートインコーナーの壁《かべ》に留《と》まっていた。

「土羅蔵《どらくら》さん！　待ってたんだよ、あのね！　少しだけ手伝《てつだ》ってもらいたいことがあって」

「はいはい。今日は算数ですか？　理科ですか？」

土羅蔵《どらくら》さんは灰色《はいいろ》のマントをひるがえし、ふわりと壁《かべ》から降《お》りてくると、アサギのとなりの席《せき》に座《すわ》った。

「算数なんだけど」

アサギがランドセルからプリントを取り出した。

「やれやれ。……みなさん、なにか飲まれますか？」

うめ也《や》が肩《かた》をすくめて、たずねた。

「オレ、ゴールデン・パイナップルジュース」

「わたしも、それ！　ばなにーさんと同じのにする！」

「ではわたしは、いつもの……ホットコーヒーをショートサイズで」

三人がそれぞれ注文と精算《せいさん》をすませたとき。

「アサギさん、おいそがしいところ申し訳《わけ》ありませんが」

上から声がした。見上げると、イートインコーナーの上、部屋《へや》の角っこのめくれあがったところ——いつも月夜が見えている——天井《てんじょう》の三角形の穴《あな》から、巨大《きょだい》なピンク色のうさぎが目をのぞかせていた。

「玉兎《ぎょくと》さん！」

アサギは、ツキヨコンビニの社長秘書《ひしょ》であるうさぎ妖怪《ようかい》、玉兎《ぎょくと》さんに手を振《ふ》った。

「ちょっとアサギさんにご意見をお聞きしたいことがありまして」

玉兎《ぎょくと》さんは、ルビーのように真っ赤な目をきらめかせて、たずねた。

「ツキヨコンビニの新スイーツメニューを考える会議《かいぎ》をしようと思うんです。もしよろしければ、宿題をすませた後で参加《さんか》していただけますか？」

「え、会議《かいぎ》に？　わたしが？」

アサギは目を丸くした。

「アサギさんの考えるメニューは、評判《ひょうばん》がいいので。ご意見いただきたいのです」

玉兎《ぎょくと》さんにそう言われて、アサギはうれしくて、飛《と》び上がりそうになった。

「もちろんいいよ！　参加《さんか》するする！」

ウキウキと、アサギは算数のプリントをささっとわきによけた。

「宿題なんて後でいいし！　玉兎《ぎょくと》さん、さっそく会議《かいぎ》しようよ!!」

アサギはコンビニ・アドバイザー

バックヤードの控室《ひかえしつ》。もちこちゃんに店をまかせて、アサギはうめ也《や》と氷《ひょう》くんといっしょに会議《かいぎ》に出た。リモート参加《さんか》の玉兎《ぎょくと》さんは、テーブルの上のパソコンモニターから話をする。

「うーん、いざ、新しく考えるとなると、むずかしいですね」

うめ也《や》が、スイーツ人気ランキング表を見ながら、首をひねった。

「そうですよねー。特《とく》に定番になりそうなものとなると。バレンタインとか、イベントに向けた商品はまだ考えやすいんですけど」

氷《ひょう》くんも首を大きくひねった。とたんにパキッと、骨《ほね》のつぎめがはずれる音がした。

「イベントも、クリスマスはまだ先だし、ハロウィンはしないことになっちゃいましたからねえ」

「なんでハロウィンはやめたの？　オレンジのかぼちゃのお菓子《かし》とかカワイイのに」

「パンプキン妖怪《ようかい》のラン淡《たん》さんから苦情《くじょう》が来たんですよ。自分が食べられてるみたいで、イヤだって」

氷《ひょう》くんが答え、うめ也《や》もうなずいて言い足した。

「なにかいいイベントがあると、商品も売りやすいんだけどね」

「そうかー。うーん、それなら……」

アサギは、パッとひらめいた。

「お月見はどう？」

「「「お月見？」」」

人外《じんがい》の三人が同時に聞き返した。

「ツキヨコンビニは、いつでも月が見えるよね。それってお月見イベントなら、いつだってできるってことだよ！」

「なるほど、それは気がつかなかったな」

うめ也《や》が、むむっと真剣《しんけん》な目つきになった。

「店の中で月が見えるのはあたりまえだったから、お月見って発想なかったですけど、逆《ぎゃく》に新鮮《しんせん》かも！」

氷《ひょう》くんが、身を乗り出した。

「それは、なかなかいい案《あん》ですね！」

玉兎《ぎょくと》さんも声をはずませ、みんなが一気に活気づいた。

アサギはぽっと顔が熱《あつ》くなった。

これだから、ツキヨコンビニはいいのだ。ママはいそがしすぎて、よぶんな話を長く聞いてくれないし、学校では、アサギがなにか思いついたことを言っても、みんな、あんまり反応《はんのう》してくれない。

「じゃ、お月見イベントに合わせたスイーツを考えるか」

「そうですね、店長！　……ねえ、アサギさん。お月見スイーツ、なんかいいアイデアないですかね？」

氷《ひょう》くんが、期待に目をキラキラさせて、アサギの顔を見つめた。

（ふふふ、ここまで頼《たよ》りにされちゃったら、なんかイイのを考えないとダメだよね！）

さらに気分が上がったのがよかったのか、またピンとひらめいた。

「あ、さっきの新商品！　真ん丸ふわふわカステラ。あれにもちもちうさぎをのせて、アイスとかそえて出したら、お月見イベントにぴったりかも？」

「おお！」

うめ也《や》が大きく目を開いた。

「今ある商品をアレンジして出すのか！　それもいいな」

「ですね！　新商品の強いアピールにもなります！」

氷《ひょう》くんも、うなずいた。

「さっそく、社長におうかがいを立ててみます」

玉兎《ぎょくと》さんが、画面からさっと姿《すがた》を消したかと思うと、すぐにもどってきた。

「社長からGOが出ました。うめ也《や》店長、お月見イベント計画、立ててください」

「はい、すぐに始めます」

うめ也《や》はいきごんで、しっぽの先を、もふっとふくらませた。

「それで、アサギさん。よろしければ、このお月見イベントにコンビニ・アドバイザーとして参加《さんか》していただけないでしょうか？」

「コンビニ・アドバイザー?!」

アサギは、わあっと叫《さけ》びそうになった。コンビニ・アドバイザーだなんて、めっちゃ有能《ゆうのう》な大人みたいで、カッコいい！

やります！　と言いかけたアサギを、うめ也《や》が止めた。

「アサギ、アドバイザーなんて引き受けたら、すごくいそがしくなるし、ますます勉強や寝《ね》る時間が……」

うめ也《や》の言いたいことはわかっている。

このツキヨコンビニでは、外に出るときに、この世の時間を調節《ちょうせつ》できる。三時間、コンビニにいても、この世の時間では一分間にすることもできるし、逆《ぎゃく》に長くいたことにもできる。

アサギはそれをいいことに、時間を気にせずにコンビニに長居《ながい》しているのだが、その分遊び疲《つか》れて、宿題をする前に寝《ね》てしまうことも多い。

「でも、やりたい！」

アサギの言葉を聞こえないふりをして、うめ也《や》は玉兎《ぎょくと》さんに言った。

「玉兎《ぎょくと》さん。アサギがいくらいいアイデアを出してくれるといっても、スタッフじゃない、お客ですよ。お客さまに仕事を頼《たの》むのは、さすがに……」

「ばなにーさんはお客さまですが、コンビニグッズのデザインをお願《ねが》いしてますよ。もともとデザイナーさんですしね」

玉兎《ぎょくと》さんの言葉に、アサギは目をぱっと大きく開いた。

「え、そうなんだ！　じゃあ、ぜんぜんいいじゃん。やります！　アドバイザー！」

「お引き受けいただけるのですね。では、よろしくお願《ねが》いいたします」

玉兎《ぎょくと》さんがそう言って、パソコンのモニターから退出《たいしゅつ》した。

「よーし、お月見イベント、成功《せいこう》させよう！」

「おー！」

氷《ひょう》くんといっしょに右手を天に向かって突《つ》きあげた。

「……アサギ、張《は》り切りすぎないでよ」

うめ也《や》がますます心配そうに、ため息をついた。

というわけで、コンビニ・アドバイザーのアサギは……とてもいそがしくなった。

放課後《ほうかご》はもちろん、日によっては登校前にもツキヨコンビニに顔を出す。

「ひらめいたんだけど！　お月見スイーツ、抹茶《まっちゃ》アイスとあんこをそえた和風のヤツも用意したらどうかな。トウロウ5《ファイブ》さんみたいに、和風が好《す》きな妖怪《ようかい》もいるし」

「それはいいですね。どちらか好《す》きな方をお客さまに選《えら》んでもらうことにしたら」

氷《ひょう》くんと熱心《ねっしん》にスイーツの相談をしたかと思うと、イベントの広告《こうこく》デザインを引き受けたばなにーさんといっしょに、ポスターやチラシの見本を前に、意見を出し合う。

「なんかちょっと暗い気がする……」

「だよな。もっとこの月のイラストのイエローを強くするか」

うめ也《や》もつかまえて、アイデアを伝《つた》える。

「当日はお店の中を暗くするんだよね？」

「うん、その方が月がきれいに見えるだろう」

「そしたらさ、あの天井《てんじょう》の三角の穴《あな》、イベントの日だけ、もっと大きく開けたらどうかな？　そしたら、みんなに月が見えやすいんじゃない？」

「なるほどな……。考えてみよう」

次々《つぎつぎ》飛《と》び出す冴《さ》えてるアイデアは常連《じょうれん》の妖怪客《ようかいきゃく》たちも感心するほどで、うめ也《や》もアサギの仕事ぶりを認《みと》めざるを得《え》ない感じになってきた。

「……土羅蔵《どらくら》さん、それ、アサギの……ですよね」

うめ也《や》はイートインコーナーで、一人静《しず》かに算数の教科書を見ている土羅蔵《どらくら》さんの横に、そっとおかわりのホットコーヒーを置《お》いて言った。

「ああ、アサギさんが宿題でまちがえたところが気になりましてね。わたしも教えるには勉強しなくてはと思った次第《しだい》で」

「いつもありがとうございます。アサギは塾《じゅく》にも行きたくないみたいだし、ママもぼくもいそがしくて勉強をみられないし……」

「いえいえ。楽しいし、なつかしいですよ」

土羅蔵《どらくら》さんは、おだやかに微笑《ほほえ》んだ。

「娘《むすめ》たちが小さいときは、いっしょに勉強したり、宿題の採点《さいてん》をしたりしてましたから」

「土羅蔵《どらくら》さん、娘《むすめ》さんがいらしたんですね！」

「ええ、三人娘《むすめ》です。みんなとっくに成妖《せいよう》しましてね。なにか頼《たの》みごとがあるときだけやってくるんですよ」

土羅蔵《どらくら》さんが苦笑《にがわら》いしたそのとき。

「いらっしゃいませ！」

氷《ひょう》くんのあいさつとともに、開いたドアから、真っ赤なコウモリが飛《と》びこんできた。そのコウモリがカウンターの前に降《お》り立つと、真紅《しんく》の巻《ま》き毛の女の人になった。つばさも同じ色のマントになって、その人の肩《かた》をおおった。

「お父さん！　やっぱりここにいた！」

女の人は、イートインコーナーにいる土羅蔵《どらくら》さんを見つけ、駆《か》け寄《よ》った。

「お父さん？　って、土羅蔵《どらくら》さんの娘《むすめ》さんですか？」

うめ也《や》がたずねると、

「ええ、長女の花美羅《かみら》です。今日はなんだい」

「お父さん、うちのコーヒーメーカーがヘンなの！　コーヒーがふき出して止まらないの！　今すぐ来て直してよ！」

花美羅《かみら》さんは、キラキラジュエリーがたくさんついた爪《つめ》の先で、土羅蔵《どらくら》さんの腕《うで》をつついた。

「ほら来た」

土羅蔵《どらくら》さんが肩《かた》をすくめた。

「もう、床《ゆか》がコーヒーの池みたいになっちゃってるの。あ、みなさん、いつも父がお世話になってます。今後ともよろしくです！　お父さん、早く早く！」

花美羅《かみら》さんにせっつかれて土羅蔵《どらくら》さんは立ち上がった。

「ではみなさん、失礼《しつれい》します」

土羅蔵《どらくら》さんは花美羅《かみら》さんといっしょに店から飛《と》んで出ていってしまった。

うめ也《や》は、土羅蔵《どらくら》さんと三人娘《むすめ》のふだんのようすを想像《そうぞう》して、思わず顔をほころばせた。

（ああ、土羅蔵《どらくら》さん、行っちゃった！）

アサギは、がっかりした。後で、宿題のわからないところを教えてもらおうと思ってい

たのだ。

「アサギ、土羅蔵《どらくら》さんは行ってしまったよ。あてがはずれちゃったな」

アサギの横から、うめ也《や》がちょっと口もとをほころばせて言った。

「さ、家に帰って宿題の続《つづ》きをやるんだ。わからないところは、自分で調べるんだぞ」

うめ也《や》はアサギのランドセルに、ぽいぽいっと、教科書やドリルを入れて、ふたをした。

「……はあーい」

アサギはしぶしぶ、ランドセルをしょった。うめ也《や》が本気で怒《おこ》ったら、「店長の権限《けんげん》」で、お客であっても非常口《ひじょうぐち》から放り出されてしまう。

「じゃあ、また来るね！」

みんなに手を振《ふ》って、店の外に出たアサギは、あれ？　と思った。

(子どもの泣《な》き声？)

助け出した女の子

ツキヨコンビニは、人間には見えないし入ることもできない（アサギは特別《とくべつ》）。店のあるその場所は、外から見たら、人通りの少ない住宅街《じゅうたくがい》にある、雑草《ざっそう》だらけの空き地だ。

アサギが店を出て、その空き地の前の道に出たとき、子どもの泣《な》き声が聞こえたのだ。

「イヤだあ！　イヤだー！」

見ると五、六歳《さい》の女の子が泣《な》きわめいている。そして、灰色《はいいろ》のコートを着た老人《ろうじん》が、背《せ》を丸めてその子に向かって手を伸《の》ばしていた。

（おじいちゃんに、なにかわがまま言って怒《おこ》られてる？　でもあの女の子、すごく怖《こわ》がってない？）

怪《あや》しんだそのとき、女の子と目が合った。するとその子は、老人《ろうじん》を指さして叫《さけ》んだ。

「この人、コワい！　知らない人！」

「え！」

すると、その老人《ろうじん》が少し首を動かし、こちらを見た。

かぶった帽子《ぼうし》の下から、鋭《するど》い目で一瞬《いっしゅん》アサギを見たが、左手を伸《の》ばしてその子の肩《かた》をつかもうとした。

「お、おねえちゃん！」

女の子は老人《ろうじん》から身をよじって逃《に》げながら、アサギの方に手を突《つ》き出した。

気がついたら、アサギは二人の方に突進《とっしん》していた。

老人《ろうじん》を体当たりでドンと突《つ》きとばすと、その子の腕《うで》をつかんだ。

「おいで！」

アサギは女の子を連《つ》れて走りだした。

（このまま走っても逃《に》げきれない!!　ツキヨコンビニに行くしかない！）

アサギは女の子を抱《かか》えあげた。頼《たよ》りないほど小さくて、人形みたいに軽い。

アサギはその子をしっかりと抱《かか》えこみ、空き地に頭から飛《と》びこんだ。

「いらっしゃいませ……て、アサギさん?!」

氷《ひょう》くんのおどろく声が聞こえた。目を開けて顔を上げると、ツキヨコンビニの明るい店内だ。後ろを見たら、自動ドアがきっちり閉《し》まっていた。

(やった！　あのヘンなおじいさん、急にわたしたちが消えて、びっくりしてるだろうな！)

うめ也《や》がカウンターを飛《と》び越《こ》え、駆《か》け寄《よ》ってきた。

「どうした、アサギ！」

「うめ也《や》！　大変《たいへん》だったんだよ！」

アサギは、今外であったことをみんなに話した。その間、連《つ》れてきた女の子はしゃくりあげながら、アサギの腕《うで》にしがみついていた。

「ゆうかいするつもりだったのかな。人間の警察《けいさつ》に通報《つうほう》しましょうか」

「それより先に、お家《うち》に送ってあげた方がいいんじゃないの？　家の人、さがしてるかも」

事情《じじょう》を聞いた氷《ひょう》くんとばなにーさんが口々《くちぐち》に言った。

「でも、あの人……まだ近くにいるかも！」

アサギが言うと、それまでだまって話を聞いていたうめ也《や》が口を開いた。

「しかしこの子のゆうかいは、むずかしいと思います。だって、人間じゃないですから」

「「「えっ？」」」

みんないっせいに声を上げた。

「この子、ユーレイですね」

「ユーレイ？　うそ！　だってしっかりわたしの腕《うで》、つかんでるじゃん！　抱《かか》えて店に入ってきたし！」

「え？」

うめ也《や》が女の子の頭をそっとなでた。するとその姿《すがた》が、水に溶《と》ける絵具のようにゆがんだ。

アサギも女の子の頭をさわってみた。するっと手が頭を通過《つうか》した。

(本当だ！　人間じゃない！)

息をのんだら、ゆらいでいた姿《すがた》が、すうっと元にもどって、やわらかい髪《かみ》の手ざわりが感じられた。

「この子は、実体化したり、幽体化《ゆうたいか》したり……ユーレイとして安定していないみたいですね」

うめ也《や》が言い、

「それで、生者の子どもと思われて、ヘンなヤツに連《つ》れていかれそうになったんだな」

と、ばなにーさんが腕組《うでぐ》みして言った。

「ね、お名前は？」

アサギがたずねたら、

「……ゆうちゃん」

か細い声で、女の子が答えた。


ゆうちゃんは、家の場所を聞かれても、家族のことを聞かれても、答えられなかった。おそらく死んでしまってから、ずっとこの近くをさまよっているうちに、忘《わす》れてしまったんでしょうと、うめ也《や》が言った。

「ゆうちゃん、これ飲むか？　うまいよ」

ばなにーさんが、パイナップルジュースをすすめた。

「ユーレイって、食べたり飲んだりできるの？」

「このコンビニのものだったら、人外《じんがい》向けだから大丈夫《だいじょうぶ》だろ」

アサギの質問《しつもん》にばなにーさんが答え終わる前に、ゆうちゃんはジュースを受け取りゴクゴクとのどを鳴らして飲んだ。あっというまに飲み終えると、ゆうちゃんが、もっと！と言うように手を上げた。

「きっと甘《あま》いもの、ひさしぶりだよな。どんどん食べな」

ばなにーさんが言って、気前よく、スイーツをたくさん買ってゆうちゃんに食べさせてくれた。

「おいしい、おいしい！」

ほっぺたにクリームをつけて、ゆうちゃんは夢中《むちゅう》でロールケーキやワッフルを食べた。おいしいものをたくさん食べて、よほどうれしかったのか、ゆうちゃんがはしゃぎだした。

「ゆうちゃん、ねこさん好《す》き！　ふわふわ！」

ゆうちゃんは、うめ也《や》の方に駆《か》け寄《よ》ると、うめ也《や》のしっぽをぎゅっとつかんだ。

しっぽをさわられるのが大嫌《だいきら》いなうめ也《や》は、一瞬《いっしゅん》顔をしかめたが、ゆうちゃんがうれしそうなので、引きつった顔で微笑《ほほえ》んだ。

「ゆうちゃんね、いつも、ねこさんたちといっしょにいるんだよ！」

「お家《うち》で、ねこさんもいっしょに暮《く》らしてるの？」

アサギがたずねると、

「お家《うち》、ない。木が大きいの。ねこさん、いっぱいいるの。ゴーンって音がするとこ」

と答えた。

ゆうちゃんの返事に、みんな顔を見合わせた。

「ゴーンって音が？」

「それ、お寺の鐘《かね》の音かもな」

うめ也《や》が言った。

「あ、ここって近くにお寺あるんだっけ。朝と夕方に鐘《かね》をつくんだってママが言ってた」

「寺の境内《けいだい》に、たしか古くて大きい木もあった。ゆうちゃんはそのあたりをすみかにしているのかもしれないな」

「あ、じゃあ、ねこさんたちって、野良《のら》ねこのことかもですね！　お寺の裏《うら》は野良《のら》ねこのたまり場になってるって、お客さんに聞きました」

氷《ひょう》くんが手を打った。

「そうかもしれない。よし、ゆうちゃん、ぼくがお寺まで送っていくよ。そこにもどろうか」

「え……」

ゆうちゃんは、うめ也《や》の言葉にみるみるしおれた。見るからに、帰りたくなさそうだ。

おまけに助けを求《もと》めるみたいに、きゅっとアサギのシャツのすそをつかんだ。

アサギは、ゆうちゃんに向かって言った。

「ね、ゆうちゃん、おねえちゃんといっしょに家まで帰ろうか！」

すると、ゆうちゃんの顔がぱっと明るくなった。

「おねえちゃんといっしょに帰る！」

そう言って、ゆうちゃんはアサギの腕《うで》にしがみついた。

「じゃあ、ぼく二人を送っていくよ。氷《ひょう》くん、その間お店を頼《たの》むよ」

うめ也《や》はそう言ってしゅるっとエプロンをはずし、爪《つめ》の先ぐらいに小さく丸めて耳の中にしまった。

ゆうちゃん、いっしょに帰ろう

アサギはゆうちゃんと手をつないで、店の外に出た。

うめ也《や》はふつうのねこの姿《すがた》になり、アサギたちの横を歩きだした。

「ゆうちゃんがいつもいるところは、どのへん？」

たずねると、ゆうちゃんは、

「あっち」

と道の向こうを指さして、歩きだした。

ゆうちゃんは迷《まよ》うこともなく、いくつかの角を折《お》れると、お寺の前に出た。

（やっぱり、ここなんだ）

アサギはお寺の境内《けいだい》の、大きなクスノキを見上げた。

「ゆうちゃん……あれ？」

いつのまにか、ゆうちゃんは消えていた。あたりを見回したが、姿《すがた》が見えない。

お寺の境内《けいだい》の中をのぞいてみたが、見つからない。

「いつものところにもどってきたから、ほっとして消えちゃったのかな」

「そうかもしれないな。じゃ、ぼくは店にもどるよ。アサギも家で宿題を……」

「ハイハイ！　わかってますよ！」

アサギはうめ也《や》の言葉をさえぎって、千鳥《ちどり》マンションに向かって駆《か》けだした。

マンションにつくと、一階のガレージから大家《おおや》さんのチドリさん（本名が千鳥美波《ちどりみなみ》さん
というのだと先週知ったばかりだ）が出迎《でむか》えてくれた。

「アサギちゃん、おかえりなさい」

チドリさんは、ガレージに自動車を入れず、たくさんの観葉《かんよう》植物のはちや、いすやテーブル、スタンドランプに本棚《ほんだな》、小型《こがた》の冷蔵庫《れいぞうこ》まで置《お》いている。

よほど天気が悪くならない限《かぎ》り、暗くなるまでそこで本を読んだり、植物の世話をしたり、近所の人やマンションの住人とおしゃべりしたりしてすごすのが日常《にちじょう》だ。

「アサギちゃん、この前言ってたお菓子《かし》の本ね。部屋《へや》をさがしたらあったわ」

チドリさんがテーブルに置《お》いた本を指さして言った。世界のお菓子《かし》が紹介《しょうかい》されている大判《おおばん》の本だ。

この前、ガレージカフェタイム（このガレージで、チドリさんに飲み物をごちそうになることをアサギはそう呼《よ》んでいる）で、お菓子《かし》作りに興味《きょうみ》があるんだったら、ウチの本を貸《か》してあげようか？　とチドリさんが言ってくれたのだ。

「こんな古い本でよければ、どうぞ、持っていって好《す》きなだけ見てちょうだい……あら？　黒ねこちゃん?!」

チドリさんがアサギの左手を見て、そう言った。

「え？　黒ねこ？」

アサギはそっちに顔を向けたが、ねこはいなかった。

「あら？　いない？　見まちがいかしら。いやねえ、どんどん目が悪くなっちゃって」

チドリさんはめがねをはずして、顔をしかめた。

家に帰ったアサギは自分の部屋《へや》に行き、ランドセルとサブバッグを置《お》くとベッドに寝転《ねころ》んでお菓子《かし》の本を開いた。もちろん宿題は後回しだ。

（トライフルって、いいなあ。スポンジケーキやフルーツやクリームを器《うつわ》の中で重ねていくんだ。なんかイートインメニューになりそう……。チュロス……ホットチョコレートにつけて食べるんだね。これもコンビニでやってみたい！）

「どれもおいしそう。食べたいなあ」

アサギがつぶやくと

「食べたいねっ！」

横から声がした。

「えっ？」

横を見ると、ゆうちゃんがアサギのとなりに寝《ね》そべって、楽しそうにお菓子《かし》の写真をながめていた。

「ゆうちゃん！」

びっくりして起き上がった。

「どうしてここに？　帰ったんじゃなかったの？」

アサギの問いかけに、ゆうちゃんは、え？　と不思議《ふしぎ》そうな顔つきになった。

「だって、おねえちゃん、ゆうちゃんに、いっしょに帰ろうって言ったよ。だからいっしょに帰ってきたんだよ」

（あ）

言われてみれば、確《たし》かにアサギはゆうちゃんに、ツキヨコンビニで「いっしょに家まで帰ろうか」と言った。

「あ、あのね。それは途中《とちゅう》までいっしょに行こうっていう意味で、帰るのはそれぞれの家ってことで……」

「家？　ゆうちゃん、家ない」

ゆうちゃんのその言葉で、アサギは気がついた。

（そうか、ゆうちゃん、家がないんだった。だからわたしの家にいっしょに行こうって誘《さそ》われたと思っちゃったんだ！）

お寺まで案内《あんない》してくれたのも「いつもいるところはどこ？」って聞かれたから、連《つ》れていってくれただけなんだろう。

「ゆうちゃん、あのね……」

どう説明《せつめい》しようか、考えていると、

「……やっぱりか」

声がした方を見ると、飼《か》いねこ姿《すがた》のうめ也《や》がいた。

うめ也《や》の後ろでは、クローゼットのとびらが開いていた。

アサギの部屋《へや》のクローゼットは、ツキヨコンビニの非常口《ひじょうぐち》に通じている。店長のうめ也《や》はこの非常口《ひじょうぐち》を自由に使えるのだ。

「ゆうちゃん、ついてきちゃってるんじゃないかって、気になって見に来たら、やっぱりだったな」

うめ也《や》が困《こま》った顔でそう言うと、ゆうちゃんがさっと、アサギの背中《せなか》の後ろにかくれた。

「うめ也《や》、ゆうちゃん、まだ遊びたいんだよ。ママが帰ってくるまでまだ一時間ぐらいあるし。少しはいいんじゃない？」

アサギが言うと、うめ也《や》はむずかしい顔をしたが、

「……しょうがないなあ」

と答えた。


「どこかなあ。ゆうちゃん、どこに行っちゃったのかなあ」

キッチンの真ん中に立って、アサギがいかにも困《こま》ったように、大きな声で言うと、くくくと押《お》しころした笑《わら》い声が聞こえた。声は、キッチンのシンクの下あたりから聞こえてくる。

「ここかなあ？」

シンクの下のとびらを開けた。そこにはなべやフライパンが並《なら》んでいるだけ。

でもアサギは見のがさなかった。一番大きななべのふたが、ほんのわずか、ずれている。

「ここだあ!!」

アサギは叫《さけ》んで、なべのふたをつかんで開けると、ゆうちゃんが声を上げながらなべの中から飛《と》び出してきた。

「もう、ユーレイの子は、かくれんぼがうまいからさがすのが大変《たいへん》だよ！」

アサギが言うと、ゆうちゃんはそっくり返って、はじけるような笑《わら》い声を上げた。

「ゆうちゃんの方が、かくれんぼじょうず！」

よほど楽しいのか、ゆうちゃんのほっぺたはピンク色だ。

（かわいい！）

アサギはゆうちゃんの小さな顔を両手ではさんで、おでこをくっつけた。気のせいか、あったかくて、ほんのり汗《あせ》ばんでいるように感じる。

「ゆうちゃんが、こんなにやんちゃだとは思わなかったよ。ああー、毛並《けな》みがだいなしだ！」

うめ也《や》はゆうちゃんに追いかけまわされた上に、わしゃわしゃと逆《さか》なでされたり、耳やしっぽを引っぱられたりで、いつもきりっとしたイケメンねこもさんざんだ。

「ゆうちゃん、かくれんぼ好《す》き！　みんなゆうちゃんをさがしてくれるもん！」

ゆうちゃんの言葉に、ふっとうめ也《や》が真顔になり、きき返した。

「ゆうちゃん、今まで、だれかゆうちゃんをさがしに来た人、いた？」

するとゆうちゃんは、頭を横に振《ふ》った。

「それじゃ、ゆうちゃん、ユーレイになってから、ずっと一人で、だれかがさがしに来るのを待ってたってことかな？」

「家も覚《おぼ》えてないんだから、そうなのかもな」

うめ也《や》の返事に、アサギは胸《むね》が押《お》しつぶされたように、痛《いた》くなった。

(ゆうちゃん……。そんなのさみしいよ)

「ねえ、うめ也《や》、ゆうちゃんをこのまま、家にしばらくいさせてあげたら……」

アサギが言い終わらないうちに、

「ダメだ」

うめ也《や》がきびしい顔で言った。

「ママがゆうちゃんを見たら、びっくりして大騒《おおさわ》ぎになる」

「ゆうちゃん、姿《すがた》を消せるよね？　見えなかったら、ママにわからないんじゃない？　おなべの中にずっといるとか」

「たとえ見えなくても、ユーレイとの同居《どうきょ》は生者の体を弱らせてしまう。アサギみたいなのは、珍《めずら》しいんだ」

「じゃあ、お店にゆうちゃん、置《お》いてあげられない？」

「開いてるときはいいけども、閉店後《へいてんご》は置《お》いてあげられないよ」

うめ也《や》が答えたとき、

「ただいまー！」

玄関《げんかん》からママの声がした。

「ママ、帰ってきた!!」

「いつもより早い！」

アサギとうめ也《や》は顔を見合わせた。

もし、妹がいたら？

「ママに見つかったら大変《たいへん》だ。ゆうちゃん、姿《すがた》を消せないか？」

うめ也《や》が聞いたが、ゆうちゃんは、首をかしげて、ただ立っているばかり。

「ゆうちゃん、この下にかくれて。ほら、さっきのかくれんぼみたいに！」

アサギはベッドの下を指さした。するとゆうちゃんはうなずき、平たくなってしゅるっとベッドの下にもぐった。

「静《しず》かにしてるんだよ！　声を出しちゃダメだよ」

「アサギ！　熱々《あつあつ》コロッケ買ってきたよー」

ご機嫌《きげん》なママが、アサギの部屋《へや》をひょいとのぞいた。

「ママ、今日は早いね！」

「夜勤《やきん》の人が早めに来てくれて。むずかしい入院患者《かんじゃ》さんもいなくてね。申し送りもすぐすんだんだよね」

「あ、そ、そうなんだ！　よかったね！」

アサギはベッドの前にふんばって立ち、必死《ひっし》でうなずいた。うめ也《や》もきりっと目に力をこめて、アサギの足もとでお座《すわ》りしている。

「じゃ、すぐにご飯《はん》にしよう！」

ママがアサギに背中《せなか》を向け、部屋《へや》から出たときベッドの下からゆうちゃんのくぐもった声がした。

「ゆうちゃん、ここにいたらダメ……？　おねえちゃん、イヤ？」

悲しそうな、その問いかけに、アサギは思わず叫《さけ》んだ。

「イヤじゃないよ！　でも、それは、あの」

「なにか言った？」

いったん部屋《へや》から出たママがもどってきた。

「いや、あの」

答えにつまったアサギの前に、うめ也《や》が飛《と》び出して、

「うぎゃあああ！」

大声で鳴いた。

「うめ也《や》、どうしたの？」

びっくり顔のママの足にうめ也《や》は頭をこすりつけ、ぐいぐい押《お》した。

「うめ也《や》ったら、ふだんお行儀《ぎょうぎ》がいいのに、どうしちゃったの？」

「うめ也《や》、すっごくおなかがすいてるんだよ！」

アサギが叫《さけ》んだ。

「ママ、今すぐうめ也《や》におかかご飯《はん》、あげて！」

「わかったわ。うめ也《や》、ほら、こっちおいで」

ママがうめ也《や》を連《つ》れてキッチンに行ったのを確《たし》かめ、ベッドの下をのぞいた。

「ごめんね、ゆうちゃん！　でも、ママがゆうちゃん見たら、びっくりしちゃうから……」

「ゆうちゃん、いない方がいい……。ここも、ゆうちゃんがいたら困《こま》る……」

ゆうちゃんは、うなだれてゆらりと立ち上がった。

「ママがいないときは遊びに来てくれたらいいよ！　それにお店だったら、だれもゆうちゃんのこと見て、びっくりしない。あ、そうだ、今度お月見イベントがあるんだ。みんなでお月見しながら、特製《とくせい》スイーツを食べるんだよ。ゆうちゃんも来てよ！」

ゆうちゃんは、ちょっと考えてうなずいた。

「アサギ！　コロッケさめちゃうよ！」

キッチンからママの声がした。

「今行くよ！」

アサギがあせった顔で返事するのを、ゆうちゃんは見つめていたが、その姿《すがた》はふっと煙《けむり》みたいに薄《うす》くなった。そして長細く伸《の》びたかと思うと、窓《まど》のすき間からするんと出ていった。


「……アサギ、コロッケ、カレー味の方がよかった？」

ママに聞かれて、アサギは、はっとわれに返った。

ご飯《はん》を食べながら、つい考えごとをしていた。

「ううん。おいしいよ」

「そう？　なにかぼんやりしてるから。……学校でなにか、あったとか？　前の学校と比《くら》べてずいぶんちがうよね？」

「ん？　学校？　いや別《べつ》に。勉強、前の学校よりも進み方がゆっくりだし、宿題も少なめだしね。制服《せいふく》もなくて楽ちんだし。あの制服《せいふく》チェックとかめんどくさかったもん！」

「それなら、まあよかったけど」

ママがほっとした顔になった。実際《じっさい》、そうだった。

今の学校は、前の学校とずいぶんちがい、いろんな家庭環境《かんきょう》の子たちがいて、服装《ふくそう》も話すことも教室でのすごし方も、けっこうバラバラだ。でもその分、転校生だからとヘンに目立つこともなくてよかったのだ。

「アサギが珍《めずら》しく考えこんでるから、なにか学校でイヤなことがあったのかなって思っちゃった」

「ああ、そんなことないよ！」

今の学校では、今のところ「イヤなこと」は、起きてない。ケンカはもちろん、いじめられたり、こっちがいじめに加《くわ》わる感じになるとか、そんなことになるほど、だれともか

かわってない。

「そうじゃなくてさ、妹がいたら、どうだったかなあ、とか思ったんだよね……」

ゆうちゃんが、気になる。

アサギの横にぴったりくっついて、いっしょにベッドに寝《ね》そべって、うれしそうにお菓《か》子《し》の本を見ていたゆうちゃん。かくれていたのを見つけられ、きゃあーっと声を上げておなべから飛《と》び出してきたゆうちゃん。

楽しそうに笑《わら》ったら、もっともっと、笑《わら》わせてあげたくなる。

さびしそうにうなだれたら、胸《むね》が締《し》めつけられたように、切なくなる。そしてどうにかして、また笑《わら》わせたくなる。

自分よりも小さい子が、こんなにかわいくて、こんなにも心配で、心の中にどっかり住みつくものだとは知らなかった。

――おねえちゃん！

アサギは一人っ子で、親戚《しんせき》にもアサギより小さい子はいない。だから「おねえちゃん」だったことは一度もない。なのにゆうちゃんに「おねえちゃん」と言われるたびに、どんどん自分が本物のお姉さんになるような感じがする。

(妹がいたら、こんな感じなのかな)

そんなことを考えていたのだ。

「……アサギ、きょうだい、ほしかった……のか」

ママのうめき声が聞こえて、アサギははっと顔を上げた。

「そうだったんだ。そうかあ。うーん。もし、アサギの下の子ができてたら、もしかしたら、あのままの生活が、家を出ないで続《つづ》いていたかも？　いや、それは、ううーん」

ママがおはしを置《お》いて、頭を抱《かか》えていた。

「え、ママ、そんなこと、言ってないよ！」

アサギもおはしを置《お》いて、あわてて言った。

「えーと、たまたま外で話した小さい子がかわいかったから！　妹がいたらどんな感じかなって思っただけで。本当にきょうだいを作ってくれとかってことじゃないから！　わたしは、そんなおばあちゃんみたいなこと、言わないよ！」

あたふたして大きな声になった。

「あ」

ママが、はっとわれに返ったような顔になった。

「そっか、そうだよね」

「そうだよ」

パパとおばあちゃんと四人で住んでいた家を出て、勤《つと》め先や学校も変《か》えた二人の暮《く》らしを始めたのは、ママがよーく考えて決めたことだ。なのにアサギよりもママの方が、「それが本当によかったのか」気にしているみたいだ。

ちらっと見たら、ママは無言《むごん》でコロッケを食べていた。アサギもそうした。

——ゆうちゃん、いない方がいい……。ここも、ゆうちゃんがいたら困《こま》る……。

その言葉が、引っかかる。

(ゆうちゃん、ずっとあちこちで、ここにいたら困《こま》るって言われてきたのかも……)

そう思うと、やっぱりゆうちゃんが、今どういう気持ちでどこにいるのかが、すごく気になる。

(そうだ。うめ也《や》！　うめ也《や》に頼《たの》もう)

アサギは、ちらちらと目を動かして、うめ也《や》をさがした。
キッチンのすみで毛づくろいをしていたうめ也《や》は、アサギの視《し》線《せん》に気がついたのか、
ん？　と顔を上げた。

うめ也《や》、ねらわれる

（なんだよ、もう！　アサギのやつ！）

うめ也《や》は、ムカつきながら、夜道を歩いていた。

夕ご飯《はん》のとき、アサギがこっちを見る目が、イヤな感じだった。なにかうめ也《や》に頼《たの》みごとをするときの、あの目つきだ。

案《あん》の定《じょう》、アサギは夕食後うめ也《や》を抱《かか》えて部屋《へや》に入ると、ことさらていねいに、うめ也《や》のひたいやあごの下をなでながらこう言った。

「ねー、うめ也《や》。お寺まで行って、ゆうちゃんのようす、見てきてくれない？」

「今から？　もう外、暗いよ」

なでられるのが気持ちよく、グルグルとのどを鳴らしそうになるのをがまんして、うめ

也《や》は言い返した。

「えっ、うめ也《や》、妖怪《ようかい》なのに、夜が怖《こわ》いの？」

おおげさにおどろいた顔をするので、ムッとする。

「怖《こわ》くはないさ。でも、家にいるときはゆっくり、飼《か》いねこらしくすごしたいんだ」

ツキヨコンビニの店長でいるときは、とにかくいそがしいし、考えることが多いし、個《こ》性《せい》の強いお客さま相手にずっと気をつかっている。

アサギがコロッケを食べている間にだって、ゆうちゃんが家からいなくなったのを確《たし》かめ、アサギのクローゼットの「非常口《ひじょうぐち》」から店に行き、精算《せいさん》や後片《あとかた》づけなど店長の仕事をすませてきたのだ。

今日はもう、毛づくろいがすんだら、すぐ寝《ね》るつもりだった。

「ゆうちゃんがちゃんと、お寺の居場所《いばしょ》にもどってるのか見てきてほしいんだ。窓《まど》から出ていくとき、すっごくさびしそうでさ。元気にしてるかどうか気になるんだよ」

お願《ねが》い！　とアサギが両手を合わせた。

くうっと、うめ也《や》は歯を食いしばった。

アサギのお願《ねが》いは、やりたくないものでも、なぜか言うことをきいてしまう。飼《か》い主だからというのもあるけど、うめ也《や》にとってアサギは特別《とくべつ》な子だからだろう。

今まで何回もねことして生まれ変《か》わってきたから、飼《か》いねこのときは飼《か》い主がいたし、結《むす》びつきが強い相手もいたけれど……、妖怪《ようかい》になってからの飼《か》い主はアサギが初《はじ》めてなのだ。

うめ也《や》が妖怪《ようかい》になると決めた理由の一つは、人間とのかかわりが、イヤになったからだ。野良《のら》ねことして生きるのは、つらいことが多い。

見当ちがいのねこなで声で、いきなりさわろうとしてくる気味の悪い者もいれば、敵意《てきい》むきだしで攻撃《こうげき》してくる者もいる。

いい飼《か》い主と出会えて飼《か》いねことなり大事にしてもらっても、早く死んだらとても悲しませる。

それで、次の生まれ変《か》わりをやめて、かんたんに死なない妖怪《ようかい》になったのだ。

(もうだれの飼《か》いねこにもなるつもりはなかったのにな)

最後《さいご》に死んだとき、アサギとママは飼《か》い主でもないのに、心から悲しんでくれた。

——また生まれてくる？　くるよね？　また会えるかな？　会えるよね？　ぜったいま

た会おうね。約束《やくそく》だよ！

そう心で呼《よ》びかけてくれたアサギの太陽のようなあたたかさ。それがうめ也《や》のたましいを、やわらかい布《ぬの》のように何重にもくるんでくれたので、最後《さいご》の死は、あんまり寒くなかった。

そのことが忘《わす》れられず、妖怪《ようかい》になってから、つい、アサギとママに会いに来てしまったのだ。

（結局《けっきょく》、アサギが暗い顔してるの、ぼくはがまんできないんだよなあ……。アサギにはいつも、元気で笑《わら》っていてほしいんだ）

考えながら、とぼとぼと夜道を四本の足で歩く。

（あー。めんどくさい。もっと妖力《ようりょく》、強くなりたいなあ。店の外でも好《す》きに変身《へんしん》できたり、いろんな力を使えたらいいのに）

ツキヨコンビニの中は異界《いかい》だから、妖力《ようりょく》を発揮《はっき》できるのだが、この世ではうめ也《や》はその半分も妖力《ようりょく》を使えない。だから地味にねこの姿《すがた》で歩いていくしかないのだ。

お寺はもう、正門を閉《し》めていた。うめ也《や》はするっと門のすき間から、境内《けいだい》に入りこんだ。

中には人の気配がなく、しーんとしている。

(そもそも、ゆうちゃんが姿《すがた》を消してたら、いるかどうかもわからないんだよな)

うめ也《や》は、本堂《ほんどう》の裏側《うらがわ》に回ってみた。

すると、暗闇《くらやみ》の中にピカリと光る目があった。足を止めるとそれは、黒いねこの目だとわかった。

(野良《のら》ねこか)

そのねこは、本堂《ほんどう》を囲《かこ》む塀《へい》に飛《と》びのり、向こうに消えた。

(この裏《うら》って、なにがあったっけ)

うめ也《や》も塀《へい》に上がり、ねこの去った方を見た。

「あ」

塀《へい》の向こうは墓場《はかば》だった。そして並《なら》んだ墓石《はかいし》の間に、ゆうちゃんの姿《すがた》があった。

ゆうちゃんは蛍《ほたる》みたいにさみしい薄緑《うすみどり》の光を放っていた。お墓《はか》に背中《せなか》をあずけ、ぼんやり座《すわ》りこんでいる。

「ゆうちゃん、そこにいたのか！」

声をかけると、ゆうちゃんがこっちを見た。うめ也《や》は塀《へい》の上から墓場《はかば》に飛《と》び下り、ゆうちゃんのそばに駆《か》け寄《よ》った。

「アサギが心配してるから、ようすを見に来たんだ」

「……ほんと？」

ゆうちゃんは、怪《あや》しむようにうめ也《や》を見つめた。

「ほんとにおねえちゃん、ゆうちゃんのこと、心配してる？」

うめ也《や》はうなずいた。

「そうだよ。アサギは優《やさ》しいからね」

「でも、おねえちゃんのところにいちゃダメって言った。おねえちゃん、ゆうちゃんにいっしょに家に帰るって言ったのに。ウソついた」

ゆうちゃんが、しゅんと肩《かた》を落とした。

（やっぱり、小さすぎて、話があんまりわかってないんだな。それに、自分がユーレイだっていう自覚《じかく》もあんまりないみたいだし、しかたがないか）

うめ也《や》は、ゆうちゃんの足もとに座《すわ》り直した。

「アサギはウソをついたんじゃないよ。ユーレイは生きてる人といっしょに住むの、むずかしいんだよ。でも、ゆうちゃんのこと、好《す》きだから、一生懸命《いっしょうけんめい》ゆうちゃんのこと、考えてる。アサギはツキヨコンビニにまたおいでって言ったろ？」

すると、ゆうちゃんは口をつぼめて、うめ也《や》をきゅっとにらんだ。

「でも、いちゃダメって言った！　コンビニにもゆうちゃん、ずっといるのはダメなんでしょ？」

言うなりゆうちゃんの姿《すがた》が、とろっと夜に溶《と》けるように消えた。

「ゆうちゃん？」

あたりを見回したうめ也《や》は、ギクリとした。

いつのまにか、たくさんのねこがうめ也《や》のまわりを取り囲《かこ》んでいた。

（このねこたち……気配がヘンだぞ！　でも、妖怪《ようかい》じゃないようだし）

うめ也《や》はぐっと目に妖力《ようりょく》をこめて、相手をよく見た。

するとねこたちが、赤紫色《あかむらさきいろ》のもやのようなものに包《つつ》まれているのが見えた。それに体が半分透《す》けていたり、顔や体の一部が見えない者もいる。

（このねこたちは、みんな生きてないんだ!!　それに悪霊化《あくりょうか》してるぞ！）

ねこたちが、いっせいに、ぐわあっと牙《きば》をむいた。

（だれかにあやつられているんだな！　死霊《しりょう》にしろ、ねこがこんなに集団《しゅうだん》でねらってくるなんておかしい！）

うめ也《や》は毛を逆立《さかだ》てて、後ろ向きに飛《と》んだ。

同時に正面にいた真っ黒なねこが、赤紫《あかむらさき》のもやをたてがみのようになびかせて、うめ也《や》に飛《と》びかかってきた。

「うわっ！」

うめ也《や》はすばやく身をかわしたが、別《べつ》の方向から、何匹《なんびき》も飛《と》びついてきた。

なんとか振《ふ》りはらい、走りだしたが墓地《ぼち》を囲《かこ》む高い塀《へい》に突《つ》きあたってしまった。うめ也《や》は塀《へい》に沿《そ》って必死《ひっし》に走った。

（しまった！　行き止まりだ！）

飛《と》び移《うつ》れるゴミ箱も、よじ登れそうな木もそばにない。

ねこの悪霊《あくりょう》たちは、それ以上《いじょう》うめ也《や》が逃《に》げられないとわかったのか、いったん動きを止めた。

うめ也《や》は息を整えた。腰《こし》がビリビリとひきつれたように痛《いた》む。目の上、足、背中《せなか》、あちこちが斬《き》りつけられたように痛《いた》い。牙《きば》や鋭《するど》い爪《つめ》からうまく身をかわしたと思っていたが、あの赤紫《あかむらさき》のもやにふれるだけで、傷《きず》つくらしい。

(くそ、ここがツキヨコンビニの中だったら、大化けねこに変身《へんしん》できるのに!)

つくづく妖力《ようりょく》が足りないのが、くやしい。

すると、うめ也《や》の正面に、リーダーらしいまっ黒なねこが飛《と》びだしてきて、しゃあっと牙《きば》をむき出した。

(さっきの黒ねこ! もしかしてこいつが他のねこをあやつっているのか?!)

黒ねこをにらみつけたとき、赤紫《あかむらさき》のもやが月明かりの下、網《あみ》のようにぱっと広がり、うめ也《や》の頭からおおいかぶさってきた。

「う、げほっ」

のどがしめつけられたようになり、うめ也《や》はせきこんだ。

(苦しい。息ができない!)

目の前がかすんできた。そのとき、すっとだれかがうめ也《や》の体を抱《かか》え上げた。

「白ねこくん、しっかりするんだ」

聞き覚《おぼ》えのある声に、うめ也《や》はまばたきして、自分の腹《はら》にかかったその手を見た。

筋張《すじば》った右手の甲《こう》に、星の形のあざが見えた。

「げほっ、こ、こんなところにどうして……」

「静《しず》かに。動かないで。いいものを持ってるんだ」

その人はうめ也《や》の背中《せなか》をなで、塀《へい》の上にそっと乗せると、ねこの悪霊《あくりょう》たちに向き直った。

そして、灰色《はいいろ》のコートのポケットから、スプレーを取り出すと、おもむろに正面の黒ねこにふきつけた。

ミルクのような霧《きり》が、赤紫《あかむらさき》のもやを押《お》し返し、さあっとねこを包《つつ》んだ。

黒ねこは、ぎょっとしたように目を見開いたまま凍《こお》りついた。

その人は、スプレーで大きな円を描《えが》きながら、ほかのねこたちにも盛大《せいだい》にふきつけた。

墓場《はかば》はそこだけ激《はげ》しい吹雪《ふぶき》が起こっているように、冷《つめ》たく白い霧《きり》が渦巻《うずま》き、ねこの悪霊《あくりょう》たちは、みんな氷像《ひょうぞう》のようにその場に凍《こお》りついた。

「うん、これ、よく効《き》くね。新製品《しんせいひん》『悪霊凍結《あくりょうとうけつ》スプレー』」

その人は、スプレーのラベルを見ながら満足《まんぞく》そうに言った。

「あ、ありがとうございます」

うめ也《や》はお礼を言った。

「こいつらが溶《と》けないうちに、家に帰りなさい」

「で、でも」

「いいから」

強く言われて、

「……はい」

うめ也《や》は、塀《へい》の上で家の方に体の向きを変《か》えた。

走りだす前に振《ふ》り返ると、その人は帽子《ぼうし》のつばをちょいっと引っぱり、コートのすそをひるがえして去っていくのが見えた。

今日はお月見イベント！

お月見イベントの日が来た。

その日は日曜日。アサギは朝ご飯《はん》をすませると、すぐにツキヨコンビニに向かった。

「おはよう！」

いつもだったらそれぞれの定位置《ていいち》……氷《ひょう》くんやうめ也《や》はカウンターの周辺《しゅうへん》、ばなにーさんや土羅蔵《どらくら》さんはイートインスペースから、あいさつを返してくれる。

しかし今日はさすがにイベントの準備《じゅんび》で、みんな店内を右往左往《うおうさおう》している。

ばなにーさんは、自分がデザインしたポスターを貼《は》る位置《いち》を、もう少し高くしようかと迷《まよ》っている。

氷《ひょう》くんは月が見える天井《てんじょう》の角を、店の半分ぐらいまで大きくめくりあげるように、壁《かべ》に

張《は》りついたもちこちゃんに頼《たの》んでいる。

カウンターの奥《おく》では、赤・ピンク・オレンジのカラフルな髪《かみ》とマントの三人の妖怪《ようかい》たちが、大騒《おおさわ》ぎしながらお月見スイーツの準備《じゅんび》をしている。

そのようすをカウンター越《ご》しに、土羅蔵《どらくら》さんが心配そうに、のぞきこんでいるが、

「お父さんは、もういいって」「あっち行ってて！」「ここはあたしたちでやるから」

と口々《くちぐち》に言われ、追いはらわれていた。

「お父さんって？　あのおねえさんたち、みんな土羅蔵《どらくら》さんの娘《むすめ》さんなの？」

おどろいたアサギが氷《ひょう》くんにたずねた。

「そうなんです。三姉妹《しまい》の花美羅《かみら》さん、美射奈《みいな》さん、絵笛芽羅《えふえめら》さんが、お手伝《てつだ》いを買って出てくださったんですよ！　真っ赤な巻《ま》き毛がお姉さんの花美羅《かみら》さん、ピンクのショートカットが真ん中の美射奈《みいな》さん、オレンジのストレートロングヘアが末《すえ》っ子の絵笛芽羅《えふえめら》さんです」

「みんな、キラキラメイクだし、めっちゃゴージャスなおねえさんたちだね……」

すると、三姉妹《しまい》が同時にくるっと振《ふ》り向き、ぱっと笑顔《えがお》になるといっせいにカウンター

から飛《と》び出して、アサギの方に駆《か》け寄《よ》ってきた。

「あなたが、アサギさんね！」「このイベントのアドバイザーだってね？　すごい！」「うめ也《や》店長の飼《か》い主だって聞いたよ！」

三人いっしょに話しかけてきた。

「あ、はい、アサギです、ええと、はい、アドバイザーで飼《か》い主です」

なんとか、全部に返事をした。

「お父さんから、うわさは聞いてる！　社長に認《みと》められて、会員になったんだよね！」

「人間なのにすっごい剛毅《ごうき》で、うめ也《や》店長もかなわないって！」「このスイーツもあなたが考えたの？」

「はい、あのう、いいえ、ゴーキとかでは、あ、スイーツはアイデアは出したけど、氷《ひょう》くんといっしょに細かいところは決めて……」

返事をしながらごちゃごちゃになってきた。

「三人同時に話すのはよくないよ。アサギさんが返事に困《こま》っておられるじゃないか」

土羅蔵《どらくら》さんが注意すると、三人はいっしょに、ぶうっとむくれた。

「別《べつ》にいいじゃない！」「アサギさんと楽しく話してるのに」「じゃましないでよ！」

娘《むすめ》たちに抗議《こうぎ》され、おたおたとしている土羅蔵《どらくら》さんから、アサギはそーっとはなれて、氷《ひょう》くんのそばに行った。

「うめ也《や》は？」

「バックヤードで、申し込《こ》みをされたお客さまの、最終確認《さいしゅうかくにん》をされてます」

「そうなんだ！」

アサギはカウンターの中に入り、バックヤードのキッチンのとなりの、控室《ひかえしつ》をのぞいた。

パソコンに向かっているうめ也《や》の背中《せなか》に声をかけた。

「うめ也《や》！　ゆうちゃん、今日、来るかな？」

するとうめ也《や》の背中《せなか》が、ぴくんとゆれた。

「……どうかなあ、あれから店に来てないからね」

うめ也《や》が低《ひく》い声でそう返事した。

「昨日《きのう》も来なかったの？」

「ああ」

「どうしてかなあ。ずっと家にも現《あらわ》れないし、大丈夫《だいじょうぶ》なのかな……」

アサギが肩《かた》を落とすと、うめ也《や》が振《ふ》り向いて言った。

「このまま来ないかもしれないな」

「え、どうして？」

「……墓場《はかば》でアサギがゆうちゃんを心配してることとか、店にまた遊びに来たらいいって
ことを話したけど、あんまりうまく伝《つた》わらなかったみたいだし……」

アサギはうめ也《や》が口ごもるのを、首をかしげて見ていたが、言うかどうか迷《まよ》っていたこ
とを思い切って口に出した。

じつはこのところ、ずっと引っかかっていたことだった。

「うめ也《や》、本当にちゃんと、ゆうちゃんに、また店に来たらいいって言った？」

「言ったけど？　それどういう意味？」

うめ也《や》はアサギに向き直った。

「うめ也《や》、あの日……お寺にゆうちゃんのようすを見に行った後からヘンだから。もしか
して、うめ也《や》、あの日、ゆうちゃんにキツイこと言ったんじゃない？　もう、店にも家に

も来ないでくれとか」

「そんなこと、言わないよ！　なんでそう思うんだよ」

「じゃあ、なんでゆうちゃん、あれから現《あらわ》れないの？　あんなに楽しそうだったのに。お月見イベントにも来るって……」

「知らないよ。子どものユーレイは気まぐれなんだろ」

「……うめ也《や》、ゆうちゃんのこと、本当はイヤがってる感じだもんね。来ない方がいいって、思ってるんだよね？」

「イヤがってるわけじゃない！　ただ、あの子にはよくわからない、おかしなところがあるから」

「ほらやっぱり、キライなんだ！」

「いいかげんにしろよ！」

うめ也《や》がカーッと大きな口を開けて、怒鳴《どな》った。とたんに顔が倍ぐらいに大きくなり、肩《かた》がもこもことふくれあがった。

アサギは一瞬《いっしゅん》ひるんだが、負けるもんかと肩《かた》をいからせ、両手のこぶしを振《ふ》り上げた。

「ばっ、化けねこになったって、怖《こわ》くないからね！」

「おどかそうと思って変身《へんしん》してるんじゃないよ！　あんまり頭にきたから、妖力《ようりょく》があふれただけだ！」

うめ也《や》が目玉を金色に光らせて、言い返した。

「うめ也《や》店長、あのう」

氷《ひょう》くんの声がして振《ふ》り返った。控室《ひかえしつ》のドアの向こうから、氷《ひょう》くんともちこちゃんがのぞいていた。

「お客さまが、ぎっしり、集まってます」

「予約《よやく》の方は、みんないらっしゃったかな？」

気を取り直して、うめ也《や》はするっと店長サイズにもどった。

「はい。それに、ご予約《よやく》されてない方も。……ゆうちゃんも来てます」

「ゆうちゃん、来たんだ！」

アサギはたちまち笑顔《えがお》になった。

「よかった！　ゆうちゃん、どこ？」

「カウンターの前にいてもらってます」

アサギは氷《ひょう》くんの横をすりぬけて、バックヤードを飛《と》び出していった。

「氷《ひょう》くん、あれは持ってる？」

うめ也《や》が言うと、氷《ひょう》くんは、はいとうなずき、エプロンのポケットをたたいた。

「スプレーは準備《じゅんび》しています」

「よし、じゃ、ぼくは玉兎《ぎょくと》さんにこのことを連絡《れんらく》するよ。先に行っててくれ」

うめ也《や》はパソコンのモニターの前に座《すわ》り直した。

だれかうめ也《や》を助けて

「ゆうちゃん！」

アサギは、妖怪客《ようかいきゃく》たちの間で、不安《ふあん》そうに立っているゆうちゃんを見つけ、飛《と》びついた。

「やっと来たね！　待ってたんだよ」

そう言うと、ゆうちゃんはなにも言わず、下を向いた。

「どこに座《すわ》ろうか？　待ってて。月がキレイによーく見えるところ、見つけてあげるからね！」

アサギはごった返す店内を見回した。

おおぜいがいやすいように、今日は商品の並《なら》んだ棚《たな》を壁際《かべぎわ》に寄《よ》せて、中を広く空けてある。フロアには畳《たたみ》ふうの、座《すわ》り心地《ごこち》のいいレジャーシートを敷《し》きつめてあり、おおぜいの

お客たちが食べたり飲んだりしながら、わいわいおしゃべりを楽しんでいた。

壁《かべ》には幼虫《ようちゅう》連《づ》れの蝶型妖怪《ちょうがたようかい》たちが、羽を休めてくつろいでいたし、棚《たな》の上にはつばさのある鳥型妖怪《とりがたようかい》たちが留《と》まり、飲み物の入った器《うつわ》にくちばしを突《つ》っこんでいる。

天井《てんじょう》をかなり大きくめくりあげてあるので、店のどこからでも夜空が見えるのだが、一番おちついて見られそうなのは、やっぱりいつものイートインスペースのあたりだ。

いすやテーブルが取りはらわれたその壁際《かべぎわ》に、ばなにーさんと土羅蔵《どらくら》さんが並《なら》んで座《すわ》っているのを見つけ、アサギは二人に声をかけた。

「ばなにーさん、土羅蔵《どらくら》さん！　わたしとゆうちゃんもそこに座《すわ》っていい？」

「おお、ゆうちゃん来たのか！　いいよ、いいよ！　ここにおいで！」

ばなにーさんがそう答えて手を上げ、お月見スイーツを配っている花美羅《かみら》さんを呼《よ》び止めた。

「そこのオシャレなマントが似合《にあ》うとってもステキなカノジョ！　こっちにもう二個《こ》、スイーツセット持ってきて！」

すると花美羅《かみら》さんと、少しはなれた場所にいた、美射奈《みいな》さんと絵笛芽羅《えふえめら》さんもいっしょに、

「「「は～い！」」」

と答え、それぞれカウンターの方に走りだした。

「今の返事だと、たぶん、三人ともスイーツセットを持って来ちゃうな。ま、たくさんアサギとゆうちゃんにごちそうできるし、いいけどさ」

ばなにーさんが、バナナ皮のスーツの上から頭をかいてそう言うと、土羅蔵《どらくら》さんが頭を下げてあやまった。

「散財《さんざい》させて、申し訳《わけ》ありません。娘《むすめ》たちは、三人とも『オシャレ』で『ステキ』と言えば自分のことだと思っているもので」

アサギは、笑《わら》って言った。

「よかったね、ゆうちゃん。ほら、ばなにーさんと土羅蔵《どらくら》さんのとなりに行こう！」

アサギは手を取ろうとして、ゆうちゃんのようすがおかしいのに気がついた。

「ゆうちゃん？」

ゆうちゃんは、大きく目を見開いて、固《かた》まっている。

「どうしたの？」

アサギはゆうちゃんが見ている方に、顔を向けた。

大盛《おおも》り上がりで爆笑《ばくしょう》している岩石・溶岩妖怪《ようがんようかい》のグループの向こうに、灰色《はいいろ》のコートと黒い帽子《ぼうし》が見えた。

（あっ、あの人は！）

アサギは息をのんだ。立ちすくむアサギと、男の目が合った。

あの鋭《するど》い目つき、まちがいない。ゆうちゃんを連《つ》れ去ろうとしていた老人《ろうじん》だ。

（またゆうちゃんをねらって来たんだ！　でも、ここに入れるってことは、あの人、人間に見えて実は人外《じんがい》だったの？）

「アサギ、どうした？」

急にだまって立ちすくんだアサギに、ばなにーさんが、いぶかしげに言った。アサギははっと息を吸《す》いこんだ。

「あいつ！　ここに入れちゃダメ！」

やっとかすれた声が出た。

「ゆうちゃんを連《つ》れていこうとしたあいつだよ！」

そう言って、帽子《ぼうし》の男を指さした。

「え、どこに？」

ばなにーさんと土羅蔵《どらくら》さんが、アサギが指した方を見たが、もう、老人《ろうじん》の姿《すがた》はなかった。

「……ゆうちゃん、こっちにおいで！」

しかしゆうちゃんは、アサギに背《せ》を向けていきなり走りだした。

「待って！」

呼《よ》んでも、ゆうちゃんは振《ふ》り返らなかった。お客の注文を聞いてまわっている氷《ひょう》くんやもちこちゃんの間をすりぬけ、ふっと姿《すがた》を消した。

「アサギ、どうした！」

うめ也《や》が、ゆうちゃんの名前を呼《よ》び続《つづ》けているアサギの腕《うで》を取った。

「うめ也《や》、あの、ゆうちゃんを連《つ》れ去ろうとしてたあいつが！　店にいる！　あのときと同じ、長いコートに帽子《ぼうし》をかぶって、そこに立ってた！　ゆうちゃんを追いかけてきたのかも！」

アサギが叫《さけ》んだとき。

「うぎゃあああお」

不気味《ぶきみ》な叫《さけ》び声が、頭の上から響《ひび》いてきた。

みんな、身をすくめて、声がする方を見上げた。

めくれ上がった天井《てんじょう》の向こう、きらめく星空にどろどろと濃《こ》い絵具を流したように、赤《あか》紫《むらさき》のもやが広がっていた。それが冴《さ》えた月をおおいかくしたとたん、ぶわんと強い風が巻《ま》き起こった。

赤ワインをぶちまけたような不気味《ぶきみ》な色の風が、店の中にふきこみ、渦巻《うずま》いた。

きゃあっと、あちこちで悲鳴が上がった。

「みなさん、気をつけて！　この紫《むらさき》のもやを吸《す》いこんでも、さわってもいけない！　悪《あく》霊《りょう》もやだ！」

うめ也《や》が怒鳴《どな》った。

「あくりょうもや？」

アサギは聞き返した。

「さみしい死霊《しりょう》をあやつって、悪霊化《あくりょうか》させるときに発生するもやだ。墓場《はかば》でこれでひどいめにあった！　氷《ひょう》くん！　もちこちゃん！　お客さまを外に出して！」

うめ也《や》が指示《しじ》して、氷《ひょう》くんともちこちゃんは店の入口に飛《と》んでいった。

「うめ也《や》店長！　ドアが開きません！　ロックされたみたいです！」

開かないドアのあちこちをバンバンたたきながら、氷《ひょう》くんが叫《さけ》んだ。

「なら、お客さまを棚《たな》の後ろに連《つ》れていくんだ！」

「はいいっ！」

氷《ひょう》くんともちこちゃんが、指示《しじ》にしたがって動き始めた。

「花美羅《かみら》、美射奈《みいな》、絵笛芽羅《えふえめら》も早く、かくれなさい！」

土羅蔵《どらくら》さんがコウモリのつばさを広げ、アサギや娘《むすめ》たちをかばうようにして、叫《さけ》んだ。

「アサギも、かくれろ。カウンターの中へ！」

うめ也《や》に背中《せなか》を押《お》されたが、アサギは頭を横に振《ふ》った。

「ゆうちゃんをさがさないと！　店のどこかにいるんだよ」

「ぼくがさがすから……あぶない！」

うめ也《や》が叫《さけ》んで、アサギを後ろに突《つ》きはなすのと、もやの中からなにかが飛《と》び出してきたのと、ほぼ同時だった。

「えっ、ねこ?!」

アサギは思わず声を上げた。

うめ也《や》の前に足をふんばり、目を光らせているのは、もやを全身にまとったねこたちだった。

どのねこも、悪霊《あくりょう》もやを炎《ほのお》のようにゆらめかせ、うめ也《や》を鋭《するど》い目でにらみつけ、低《ひく》いうなり声を上げている。

「ねこ同士《どうし》で戦《たたか》いたくはないんだがな……」

そう言ったうめ也《や》の体が、むくむくっとふくれあがった。

ぐりんとむき出しになった目玉が金色に輝《かがや》き、太く立ちあがった二本の尾《お》は、かま首をもたげる大蛇《おろち》のようだった。

(出た!　うめ也《や》の大化けねこだ!)

アサギは息をのんだ。前にもアサギを助けるため、この姿《すがた》にうめ也《や》が変身《へんしん》したのだけれど、今日はそのときよりも迫力《はくりょく》がある。

大化けねこに変身《へんしん》したうめ也《や》が、肉食の恐竜《きょうりゅう》のように全部の牙《きば》を見せつけて、があ么っと吠《ほ》えると、ねこたちは思わずひるんで、後ずさった。

だがそれも一瞬《いっしゅん》のことだった。

「ぎゃあああお！」

渦巻《うずま》くもやの上の方から、叫《さけ》び声が聞こえた。

それが合図のように、ねこたちはいっせいにうめ也《や》に飛《と》びかかってきた。

うめ也《や》は次々《つぎつぎ》食いついてくるねこたちを、両手の長い爪《つめ》の先で引っかけ、放り投げた。

「うめ也《や》、後ろ！」

アサギが叫《さけ》ぶと、うめ也《や》の背後《はいご》から襲《おそ》いかかろうとしていたねこたちを、二本のしっぽで巻《ま》きあげては放り投げた。

(うめ也《や》、強い！)

アサギは歓声《かんせい》を上げた。

しかし、いくら振《ふ》りはらっても、もやの中から次から次とねこたちが現《あらわ》れる。

ねこの数はどんどん増《ふ》え、悪霊《あくりょう》もやはふくれあがった。

もやのふくらみが、お客のかくれる棚《たな》の裏《うら》にまで広がりそうなのを見てとると、

「氷《ひょう》くん、もちこちゃん！　お客さまのバリアを作ってくれ！」

うめ也《や》が叫《さけ》んだ。

「はいいい！」

氷《ひょう》くんは、バリア、バリアになるもの！　と言いながら、商品の棚《たな》をかき回した。

「花粉《かふん》も煙《けむり》も通さない強力ブロックジャンプ傘《がさ》！　これだ！　もちこちゃん、頼《たの》む！」

氷《ひょう》くんは傘《かさ》の束《たば》をもちこちゃんに放り投げた。もちこちゃんは、瞬時《しゅんじ》にたくさんの触手《しょくしゅ》を伸《の》ばし、傘《かさ》をキャッチすると、身を縮《ちぢ》めているお客たちを囲《かこ》むようにぽんぽんと開いた。

アサギも傘《かさ》のバリアの後ろにいったん引っこんだが、

「うっ」

うめ也《や》のうめき声が聞こえて、傘《かさ》のすき間から顔を出した。

「うめ也《や》！」

うめ也《や》の背中《せなか》には、ねこたちが何匹《なんびき》も爪《つめ》を立て、ぶらさがっていた。

振《ふ》りはらおうとした二本のしっぽにも、ねこたちが次々《つぎつぎ》食らいついている。

身動きが取れなくなったうめ也《や》の体を、締《し》めつけるように、赤紫《あかむらさき》のもやがおおっていく。

「う、うめ也《や》！　うめ也《や》を助けなきゃ！」

アサギが飛《と》び出しかけたのを、

「行っちゃダメだ！　あぶない！」

ばなにーさんがアサギを止めた。

「ばなにーさん！　あのままじゃ、うめ也《や》があぶないよ！」

アサギはばなにーさんの腕《うで》に取りすがった。

「そうだ。ばなにーさんのそのバナナ皮スーツ！　どんな衝撃《しょうげき》も吸収《きゅうしゅう》する、強いスーツなんだよね？　そのスーツでうめ也《や》を助けてあげてよ！」

「オレもそうしたいけど、今、スーツをうめ也《や》にかぶせると、食らいついてるねこや、悪《あく》霊《りょう》もやごとスーツでくるみこむことになる。かえって危険《きけん》なんだ」

「そんな……」

アサギは泣《な》きたくなった。

「だれかうめ也《や》を助けてよ……」

顔を手でおおって、そうつぶやいた。すると、

「助けられるかもよ」

頭の上で、だれかがそう言うのが聞こえた。

あいつの正体

アサギは、はっとして顔を上げた。声の主は花美羅《かみら》さんだった。

花美羅《かみら》さんが天井《てんじょう》を見上げて、指さして言った。

「天井《てんじょう》の上に、ボスキャラみたいなのがいるよ！」

「え？」

アサギは天井《てんじょう》の方を見上げたが、もやが濃《こ》くて、よく見えない。

「めくれた天井《てんじょう》の上から、黒いねこがのぞいてるんだよ。たぶんあいつが、このもやを使って、ねこたちをあやつってる」

「ということは、このもやを断《た》ち切ったら、ねこたちは解放《かいほう》される！」

「ついでに黒ねこボスをやっつけたら、終了《しゅうりょう》ってことだね！」

花美羅《かみら》さん、美射奈《みいな》さん、絵笛芽羅《えふえめら》さんたちがうなずき合った。

「終了《しゅうりょう》って、おまえたち、そんな危険《きけん》な……」

土羅蔵《どらくら》さんが言い終わる前に、三人はコウモリ柄《がら》のバンダナで鼻と口をおおったかと思うと、つばさを広げて宙《ちゅう》に舞《ま》い上がった。

そしてうめ也《や》の横を通りぬけ、竜巻《たつまき》みたいに渦巻《うずま》く悪霊《あくりょう》もやを、空中にとどまったまま三人で取り囲《かこ》んだ。

花美羅《かみら》さんたちは、コウモリのつばさの先端《せんたん》をシャキンと剣《けん》のように鋭《するど》くとがらせた。

「悪いねこちゃん！」

「おしおきだよ！」

「えーい!!!」

三人息を合わせ、つばさを風車のようにぶうんと回した。

すると赤紫《あかむらさき》のもやが、すぱすぱと切り裂《さ》かれた。

「悪霊《あくりょう》もやを切ってるぞ!!　土羅蔵三姉妹《どらくらしまい》、すごいな！」

ばなにーさんが歓声《かんせい》を上げた。

「剣豪《けんごう》みてえだな」

「刀さばきに」

「サムライ魂《だましい》」

「感じるぜ！」

「いけえ！」

いつのまにかアサギたちを押《お》しのけて、傘《かさ》のバリアの前に出ていた岩石妖怪《ようかい》、トウロウ5《ファイブ》さんたちが、ごろごろと回転しながら声援《せいえん》を送った。

もやが切れたとたん、うめ也《や》にぶらさがっていたねこたちは、ボタボタッと床《ゆか》に落ちた。

ほかのねこたちも、「うぎゃ」「みぎゃ」と、悲鳴を上げて、床《ゆか》にへたりこんだ。

切れた悪霊《あくりょう》もやは、ちりぢりになって、夜空に飛《と》んでいった。

するとねこたちはみんな、頼《たよ》りなくやせた、野良《のら》ねこの姿《すがた》にもどった。

「悪霊《あくりょう》もやが消えた！」

赤紫《あかむらさき》におおわれていた店内が、さあっと明るくなり、天井《てんじょう》の向こうにぽっかりと冴《さ》えた月が姿《すがた》を現《あらわ》した。

「みゃーん……」

月光にさらされた野良《のら》ねこの魂《たましい》たちは、かすかな鳴き声とともに薄《うす》れて、見えなくなった。

「さあ、残《のこ》るは悪いボスねこちゃん!!」

花美羅《かみら》さんたちは、つばさをはためかせ、天井《てんじょう》の上の空に舞《ま》い上がった。

「「「おしおきだよ！」」」

花美羅《かみら》さんたちは三人声をそろえて、つばさの先を今度はツタのつるのようにするすると伸《の》ばした。

三本のつるは、ねこの体をぐるんと巻《ま》き取り、宙《ちゅう》づりにした。

「やった！」

アサギたちは飛《と》び上がった。

「いいぞ！」「カッコいい！」「土羅蔵《どらくら》三姉妹《しまい》い!!」

妖怪《ようかい》たちが、三人を見上げ、歓声《かんせい》を上げて拍手《はくしゅ》した瞬間《しゅんかん》。

「あっ！」

大きく身をよじった黒ねこが、つるの間からするりとぬけ出した。

黒ねこは、すとんと店の中央の床《ゆか》に降《お》り立つと、瞬時《しゅんじ》にすっと姿《すがた》を消した。

「せっかくつかまえたと思ったのに！」

「どこに消えたんだ？」

店内の全員が、がやがや言いながら、店のあちこちをさがし始めた。

アサギは、黒ねこの行方《ゆくえ》も気になったけれど、一番の気がかりはゆうちゃんだった。

それに、さっきの老人《ろうじん》——ゆうちゃんを連《つ》れ去ろうとしたあいつ——がまだ店内にいるかもしれないのだ。

（ひょっとして、この騒《さわ》ぎにまぎれて、ゆうちゃんをつかまえてるかも！）

そう思うと、気があせった。

（ゆうちゃん、どこ？　どこにいるの？）

アサギは妖怪客《ようかいきゃく》をかきわけ店内をぐるぐる回った。

すると、ふいにカウンターの向こう側《がわ》に、ゆうちゃんの小さな顔が見えた。

「ゆうちゃん！　そこにいたんだ！」

一歩ふみ出して、アサギはぎょっと立ち止まった。

ゆうちゃんの後ろに、あの帽子《ぼうし》の老人《ろうじん》がいた！

「ゆうちゃん、早く逃《に》げて……」

言いかけた言葉を、アサギはぐっとのみこんだ。

ゆうちゃんの細い首に指がかかっていた。首筋《くびすじ》を、後ろから老人《ろうじん》につかまれている。

ゆうちゃんは声も出せず、棒《ぼう》みたいに体を突《つ》っぱらせている。

老人《ろうじん》がぐいっと後ろから、ゆうちゃんを引っぱった。ゆうちゃんは、アサギを見ながら苦し気に口をぱくぱくさせた。

——たすけて。おねえちゃん。

ゆうちゃんの口が、そう動いているように見えた。

「うあああ！」

アサギは絶叫《ぜっきょう》してカウンターに突進《とっしん》した。

だれかが叫《さけ》んだり、体になにかがぶつかったりしたようだったが、なにもまともに聞こえなかったし、痛《いた》みも感じなかった。

アサギはジャンプしてカウンターを乗り越《こ》えた。

そして、老人《ろうじん》につかみかかった。

飛《と》びついてこぶしを振《ふ》ったら、それが老人《ろうじん》のあごをかすめ、帽子《ぼうし》がふっ飛《と》んだ。

老人《ろうじん》がひるんだ顔つきになり、のけぞって逃《に》げようとしたのを、コートのすそをつかんだ。映画《えいが》の中の人物になったみたいに、すべてがスローモーションに見えた。

おねえちゃん！　とゆうちゃんが叫《さけ》んでいるのを聞きながら、灰色《はいいろ》のコートに食らいついた。そのままバックヤードの方に逃《に》げようとする老人《ろうじん》の背中《せなか》に、アサギはしがみついた。

「アサギ、やめろ！」

止める声が聞こえたが、アサギは、はなさなかった。

(今、こいつをつかまえなかったら、またゆうちゃんをねらってやってくる！)

そう思ったら、ワニみたいにがぶうっと噛《か》みついて、バリバリ噛《か》み砕《くだ》いてやりたい気持ちだった。

老人《ろうじん》がキッチンスペースでドタリと倒《たお》れこんだ。

アサギが上におおいかぶさったのを、老人《ろうじん》は必死《ひっし》で押《お》しのけようとした。

その手が――星の形をしたあざがあった――アサギの顔の前に来たとき、

「ワニ攻撃《こうげき》だあっ！」

アサギは叫《さけ》んで思いっ切り嚙《か》みついた。

老人《ろうじん》が、うああっと悲鳴を上げた。

「アサギ、よせ!!　氷《ひょう》くん頼《たの》む！」

うめ也《や》の声がしたかと思うと、なにか木の枝《えだ》みたいなものが背中《せなか》に押《お》しつけられた。

とたんに、ビリビリとしびれるような冷気《れいき》が全身をつらぬいた。

「う……」

しゅううんと、火をふきそうにたかぶっていた気持ちが、一気に下がった。同時にがくんと体の力がぬけた。

うめ也《や》がアサギを老人《ろうじん》から引きはがし、抱《だ》き上げた。

「アサギ、落ち着くんだ」

そう言いながらカウンターの外に運び出し、シートの上に寝《ね》かせた。

「氷《ひょう》くんの腕《うで》は、よく効《き》くな！　火の玉みたいだったアサギが一発でクールダウンしたぞ」

うめ也《や》は枯《か》れ枝《えだ》にそっくりのゾンビの片腕《かたうで》を拾い上げ、氷《ひょう》くんに返した。

「胸《むね》に抱《だ》くと、ソフトに効《き》くんですけどね。背中《せなか》にくっつけるのは、人間にはちょっと効《き》き目が強すぎるかも。アサギさん、大丈夫《だいじょうぶ》ですか？」

氷《ひょう》くんが腕《うで》を関節《かんせつ》にはめこみながら、うめ也《や》に聞いた。

「……うめ也《や》、なんで？」

アサギは、寒気にぶるぶる震《ふる》えながら、老人《ろうじん》を指さした。

「ずっとゆうちゃんをねらってて、さらおうと……。あっ、ゆうちゃんはどこ？」

アサギはあわててあたりを見回した。しかし、ゆうちゃんの姿《すがた》が見当たらない。

「ゆうちゃん、いない！　どこ?!」

立ち上がろうとしたが、凍《こご》えた体にうまく力が入らない。

「もちこちゃん、アサギになにかあったかい飲み物を持ってきて……。アサギ、ちがうんだ。そうじゃない」

うめ也《や》が困《こま》った顔で言った。

「この人は、ちがうんだ」

「そんなはずない！」

「いや、そうなんだ」

うめ也《や》は、よろよろと立ち上がった老人《ろうじん》に、帽子《ぼうし》を拾って手わたしながらたずねた。

「大丈夫《だいじょうぶ》ですか？　社長」

「社長？」

アサギの声が、引っくり返った。

「「社長？」」

ずっとようすを見ていた、土羅蔵《どらくら》さんとばなにーさんの声が合わさった。

なにが起きたのかわからないまま、見ていたほかのお客たちも、いっせいにどよめいた。

すると、老人《ろうじん》はコートのえりや肩《かた》の形を整え、しゃんと背筋《せすじ》を伸《の》ばすと、

「みなさん、こんにちは。わたしは宵一《よいち》と申します。ツキヨコンビニの代表取締役《だいひょうとりしまりやく》をしております」

帽子《ぼうし》を手に、深く、銀髪《ぎんぱつ》の頭を下げて、あいさつした。

心《しん》映《えい》の術《じゅつ》

「社長さんって、ええっ？　だって、この人、ゆうちゃんをつかまえようとしてて」

アサギは、うめ也《や》と宵一《よいち》さんの顔を交互《こうご》に見た。

「そうです。わたしは彼女《かのじょ》をつかまえようとしていました」

「ほら、やっぱり！　自白した！」

叫《さけ》んでつめよるアサギを押《お》しとどめるように、宵一《よいち》さんはおだやかに、手のひらをアサギに向けた。

「いや、ゆうかい目的《もくてき》じゃないですよ。ただ、彼女《かのじょ》はあのままだったら大変《たいへん》なことになると思ったので……」

「アサギ、社長の話を聞いて。わけがあるんだ」

うめ也《や》に止められたが、アサギはだまっていられなかった。

「じゃあ、野良《のら》ねこをあやってたのはこの人じゃなかったの？」

「ちがいますよ。社長自ら、ねこを悪霊化《あくりょうか》して、店の大事なイベントをめちゃくちゃにするわけがないですよ。玉兎《ぎょくと》さん！　つかまえましたか？」

宵一《よいち》さんが、天井《てんじょう》を見上げてたずねた。

「はい、社長、なんとかつかまえました」

巨大《きょだい》なうさぎの顔が、目から上だけ現《あらわ》れた。

「霊《れい》かごに入れたら、ちょっとおとなしくなりました。今降《お》ろします」

そして天井《てんじょう》からぶらんと、大きな虫かごみたいなものが吊《つ》り下げられた。

かごの中には、さっき逃《に》げた黒ねこが、入っていた。

「その黒ねこ！　玉兎《ぎょくと》さんがつかまえたの？」

「はい、社長から逃《に》げた後、こっちに飛《と》び上がってきましたので」

かごはするすると、床《ゆか》にまで降《お》ろされた。宵一《よいち》さんはかごの前にしゃがむと、黒ねこに話しかけた。

「今までみになにがあったのか教えてくれないか？　今までだれにも言えなかったこと、それに言いたかったこと。みんな教えておくれ」

宵一《よいち》さんはそう言うと、かごのとびらを開けて、ゆっくりと黒ねこの頭をなでた。

黒ねこはうなるのをやめてうなだれ、ぺたんと床《ゆか》にふせた。

「うめ也《や》店長。心映《しんえい》の術《じゅつ》はできるようになったかな？」

「はい、一応《いちおう》……。やってみます」

宵一《よいち》さんに言われたうめ也《や》は、黒ねこを霊《れい》かごから出してやった。その姿《すがた》は、とてもやせていて、小さかった。

「なにも怖《こわ》くないよ。ぼくの目を見てくれる？」

そう声をかけ、黒ねこを顔の高さまで両手で持ち上げた。黒ねこは目をしょぼしょぼさせていたが、おそるおそる、うめ也《や》の目を見た。

うめ也《や》の目玉がぎいんと光り始めた。いつも化けねこになるときは、金の鈴《すず》みたいな目になるのだが、今度はちがった。

月の光によく似《に》た、淡《あわ》くて青みがかった銀色だ。

その目が、黒ねこの目をとらえた瞬間《しゅんかん》、黒ねこの体が、びくっと震《ふる》えた。

しゅるしゅると、小さな影《かげ》のようなものが、黒ねこの目から次々《つぎつぎ》飛《と》び出して、うめ也《や》の目玉にすべりこんでいった。

うめ也《や》はぱちぱちとまばたきすると、

「よし、受け取ったよ」

うなずいて、そっと黒ねこを足もとに置《お》いた。

「月の準備《じゅんび》はOKです。うめ也《や》店長、お願《ねが》いします」

玉兎《ぎょくと》さんがそう言って顔を引っこめると、鏡《かがみ》のような満月《まんげつ》が、みんなの頭上にせまるように近く、浮《う》かんでいた。

思わず息をのむような美しい月の姿《すがた》に、妖怪客《ようかいきゃく》たちから、ほうっとため息がもれた。

「では黒ねこの心を……月に映《うつ》します。これを見たら、今までのことがわかるはずです」

「ゆうちゃんのことも？」

「ああ」

アサギにうなずいてみせると、うめ也《や》は月を見上げ、くるんと目玉を動かした。

するとうめ也《や》の目から、青白い光が放たれた。

その光は夜空の黒色を裂《さ》いて、真っすぐ満月《まんげつ》に届《とど》いた。

ぱっと、月に、見慣《みな》れた景色《けしき》が映《うつ》った。

それは、アサギがいつもこの店に出入りしている、草ぼうぼうの空き地だった。

空き地の前の道を、ときどき通行人が通りすぎるだけで、なにも変《か》わったことは起きない。

「これが……なに？」

アサギは、だまって見ていられなくて、たずねた。

「黒ねこが見てた景色《けしき》ってこと？　これがゆうちゃんとなんの関係《かんけい》があるの？」

「これは現在《げんざい》のようすなので、過去《かこ》にさかのぼります」

うめ也《や》が言い、急に映像《えいぞう》の速度が速くなった。

昼と夜が交互《こうご》に現《あらわ》れ、目がチカチカするほどそれが速くなったかと思ったら、空き地に瓦礫《がれき》が現《あらわ》れた。

続《つづ》けてブルドーザーやショベルカーがその場所に現《あらわ》れ、瓦礫《がれき》がどんどん宙《ちゅう》に浮《う》きあがり、組み合わさって、建物《たてもの》になり……みるみるそれはコンビニ店になった。

それは少しツキヨコンビニに似《に》ていたが、看板《かんばん》がちがった。

「サンオレンジ・マートだ！」

アサギは声を上げた。サンオレンジ・マートは、もともとあまり有名でないコンビニチェーンだった。最近《さいきん》では、そのオレンジ色の太陽の絵の看板《かんばん》をぜんぜん見ない。

「ツキヨコンビニの前に、この場所には、この店があったんですね」

うめ也《や》が言った。

するとテレビカメラで映《うつ》しているみたいに、その店の中に入っていく映像《えいぞう》になった。

よく見ると、そのサンオレンジ・マートは、かなり古びた建物《たてもの》だった。ツキヨコンビニみたいにピカピカにみがかれていないし、商品の棚《たな》もすっきりしていない。

じゃがいもやにんじんが入った箱が床《ゆか》にそのまま置《お》いてあったり、お菓子《かし》や飲み物と同じ棚《たな》に、パックに入った煮物《にもの》だのいなりずしだのが、ごちゃごちゃと並《なら》んでいて、コンビニというより、小さめのスーパーみたいな感じだ。

「いらっしゃいませ……あら？」

髪《かみ》を後ろで一つに束《たば》ねた女の人の、ふっくらした顔が、こちらをのぞきこんだ。

「一人で来たの？　おつかいかな？」

女の人が、にっこり微笑《ほほえ》んだ。オレンジのエプロンの胸《むね》には「赤松《あかまつ》」と書かれた名札《なふだ》がついている。

——ここ、お店……？

ゆうちゃんの声だ！

アサギは、ドキッとした。

(これって、黒ねこじゃなくて、ゆうちゃんの思い出なの？)

「そうだよ。お店だよ。コンビニ」

赤松《あかまつ》さんが答えた。

——コンビニ……。

ゆうちゃんが言った。そして、ぐるんと店の中を見回した。

——食べ物いっぱいあるね……。

「食べ物もいっぱいだし、お家《うち》で使うものもいっぱいあるよ。洗剤《せんざい》とか、電池とか、タオルとか」

赤松《あかまつ》さんは、にこにこと説明《せつめい》した。

「ほしいもの、あるかな？」

――ほしいもの……。

ゆうちゃんは、あたりを見回すと、雑誌《ざっし》のコーナーの方に歩いていった。そして、雑誌《ざっし》の付録《ふろく》についている、ふわふわした黒ねこの、マスコットの見本にじいっと見入った。

――このねこさん、ルックだ！　テレビで見た。かわいい……。

「『こねこのルック』のアニメ、おもしろいね。おばさんも好《す》きだよ」

――おばさんも好《す》きなの？

ゆうちゃんの声が明るくなった。

――ゆうちゃんの好《す》きなの、おばさんも好《す》きなんだ！　いっしょだ！

「だれかといっしょに来たの？　もしかして、はぐれちゃった？」

赤松《あかまつ》さんは、ちょっと心配そうに聞いた。ゆうちゃんは、ううん、と言った。

「じゃあ、一人？」

うん、と、ゆうちゃんが答えた。

「お買い物を頼《たの》まれたのかな？」

――ううん。おさんぽ。

「おさんぽかあ！　でも、早く帰らないと、お家《うち》の人、心配しない？」

――ゆうちゃん、今、帰っちゃダメなの。

「お家《うち》に、帰っちゃダメなの？」

赤松《あかまつ》さんが、いぶかしげな顔になる。

――ママ、パパとケンカするとね、パパが外に行った後もずっと泣《な》いたり怒《おこ》ったりする。ゆうちゃんにも怒《おこ》る。ゆうちゃんがいたら、イライラするから家にいちゃダメって言うの。だからゆうちゃん、ママが怒《おこ》らなくなるまでいつも、おさんぽしてるんだよ。

赤松《あかまつ》さんが、真顔になった。

「ゆうちゃん……ていうお名前なんだね？　ゆうちゃんのお家《うち》はどこ？」

――ママお薬飲んで寝《ね》ちゃってるかも。ママが起きないとお家《うち》に入れないとき、あるから……。

ゆうちゃんは、どことは答えず、言い訳《わけ》でもするように「お家《うち》に入れないとき、あるから」をくり返した。

「おさんぽで、よく行く場所はどこ？　お友だちのお家《うち》に遊びに行くとか？　公園に行くとか？」

ゆうちゃんは、うーんと考えてから答えた。

——近くの家の子、みんなるすとか、遊べないって言う。公園は行かない。砂《すな》をかけてくる子がいるから怖《こわ》いし。お寺の後ろのところはねこさんたちがたくさんいて、楽しいよ。

「お寺の後ろってお墓《はか》のあるところだよね。あんなさびしいところに一人で……」

赤松《あかまつ》さんがゆうちゃんに手を伸《の》ばしてきた。

「ゆうちゃん、寒くない？　手が冷《つめ》たいよ」

——ここ、寒くない！　あったかいし、いっぱい、いいものがあっておもしろい！　コンビニって、楽しいね！　ゆうちゃん、ここにいちゃダメ？

赤松《あかまつ》さんが、言葉につまったとき、

「赤松《あかまつ》さあん、その子、知り合いの子？」

大きな声がして、オレンジのエプロンをつけた眉毛《まゆげ》の濃《こ》いおじさんが、赤松《あかまつ》さんの後ろからぬっと現《あらわ》れた。

ゆうちゃんが、ひゅっと息をのんで、後ずさった。

「あ、店長。そうなんです」

赤松《あかまつ》さんが、背中《せなか》でゆうちゃんをかくすようにして、おじさんに答えた。

「うちの近所の子が遊びに来てくれて」

「ふうん。ならいいけどさ。お客さんのじゃまにならないように、ちゃんと見ててね」

おじさんが赤松《あかまつ》さんの肩越《かたご》しに、ゆうちゃんをぎょろっと見た。

「は、はい」

赤松《あかまつ》さんの答える声が、緊張《きんちょう》している。

おじさんは行きかけた足を止めて、

「あ、そうだ」

と、振《ふ》り向いた。エプロンのポケットから、なにか白いかたまりをつかみだして、赤松《あかまつ》さんにわたした。

「ほい、おやつ」

それはへしゃげた大福もちだった。

「え、いいんですか？」

「ぶつけて、あんこが出ちゃったやつだよ。売り物になりやしない。それに、あんたもその子も、腹《はら》へってそうだ」

「え、やだ、わかります？　おやつほしいなあって思ってたとこなんです！」

「ハハハ。顔見たらわかるって」

おじさんは、そう言ってバックヤードに消えた。

ゆうちゃんは、店のすみっこで（その店にはイートインスペースがなかった）もらったおやつを食べた。赤松《あかまつ》さんが、持参《じさん》してきた水筒《すいとう》の、熱《あつ》いお茶をわけてくれた。

ゆうちゃんの気持ちがあたたかくなったせいか、見える映像《えいぞう》も明るく、商品たちも色鮮《いろあざ》やかにキラキラしてきた。

——ゆうちゃん、コンビニ大好《だいす》き！

そう言って、明るい声で笑《わら》った。

コンビニ害獣《がいじゅう》！

「……ごめんね、ゆうちゃん。おばさん、もう帰る時間なんだ」

赤松《あかまつ》さんが申し訳《わけ》なさそうに、何度も言った。

「またおさんぽのついでに遊びにおいでよ。おばさんがいる時間だったら、かまわないから」

――ゆうちゃん、また来ていいの？

ゆうちゃんも、何度も聞いて、そのつど赤松《あかまつ》さんは大きくうなずいた。

店を出る前に赤松《あかまつ》さんは、『こねこのルック』の絵のついた、小さなチョコレートを一個《こ》、買ってくれた。

――これ、ゆうちゃんの？

「そう。これ、おばさんがゆうちゃんの代わりに買ったから、これでゆうちゃんもウチの店のお客さんだよ」

——ゆうちゃん、お客さん！

店を出たゆうちゃんは、もらった手の中のチョコレートを、ずっと見ながら歩いていた。

家に帰ったゆうちゃんは、ドアをたたいたけど、家の中は真っ暗で、明かりもついていない。

しばらく待ったけど、ママは出てこなかった。

ゆうちゃんは、またおさんぽに出た。

ゆうちゃんが向かう先は、この近所のお寺で、境内《けいだい》にだれもいないのを確《たし》かめると、お寺の裏《うら》に回った。塀沿《へいぞ》いに、とびらがあった。

ゆうちゃんは両手で、そのとびらを押《お》した。

かんぬきがはずれたままのそのとびらは、ギイッときしむような音を立てて開いた。

墓場《はかば》のあちこちには、茶色いしまのねこや灰色《はいいろ》のぶちのあるねこなど、何匹《なんびき》もの野良《のら》ねこたちが寝《ね》そべったり、座《すわ》ったりしていた。

——ねこさん！

ゆうちゃんが声をかけても、ねこたちは、たいして反応《はんのう》しなかった。耳をぴくんと動かしたり、一瞬《いっしゅん》こっちを見る者もいたが、だれも動こうとしない。

ただ一匹《いっぴき》だけ、ちょろちょろっと黒い子ねこが駆《か》け寄《よ》ってきた。

——ゆうちゃんね、コンビニのお客さんになったんだよ！

ゆうちゃんは、その子ねこにほこらしげに言った。

——見せてあげるね。『こねこのルック』のチョコ。黒ねこさんにそっくりだから！

そう言ってゆうちゃんは、黒ねこにチョコレートを見せようとして、手の中にそれがないことに気がついた。

——あれえ？

ゆうちゃんはあわてて、ポケットをさぐったが、なかった。

——どこにいったのかな？　落としたのかな？

見て回るゆうちゃんを、黒ねこが心配そうに足もとから見上げた。

——みつからない！　どこにいっちゃったの？　さがさなきゃ！

その声がエコーのように、店の中に大きく響《ひび》いた。そして月の映像《えいぞう》が消えた。

「……この先は、もう見ないでおこう。いいよね？　ゆうちゃん」

うめ也《や》は、床《ゆか》の上で縮《ちぢ》こまっている、黒ねこに呼《よ》びかけた。

すると黒ねこが、顔を上げた。

その目がちかりと薄緑《うすみどり》の光を放ったかと思うと、するすると女の子の姿《すがた》になった。

「ゆうちゃん……」

アサギはつぶやいた。

「やっぱり、ゆうちゃんが黒ねこだったの……」

うめ也《や》は優《やさ》しく、ゆうちゃんに問いかけた。

「あの後、ゆうちゃんは死んだんだね？　そのことはあんまり覚《おぼ》えてない？」

「あの後……黒ねこさんといっしょにお寺を出て、チョコ落ちてないかさがしたんだ。でも外が暗くてみつからなくて。そしたら、パアン！　って大きい音がして……」

ゆうちゃんは首をかしげた。

「そしたらゆうちゃん、お寺のとこにいたんだよ。今みたいなゆうちゃんになってた……」

「黒い子ねこといっしょに、なにかアクシデントにあっていっしょに亡《な》くなったんでしょう。それで、黒ねこの魂《たましい》もまじってしまったんですね」

宵一《よいち》さんが、ゆうちゃんの顔をのぞきこんだ。

「瞳《ひとみ》の奥《おく》に、黒ねこが見えますよ。なるほど。きみたちは一つになった。きみはときには黒ねこになり、野良《のら》ねこたちの魂《たましい》もあやつれるようになってしまった」

宵一《よいち》さんが言った。

「じゃあ、さっきうめ也《や》店長や娘《むすめ》たちを襲《おそ》ったねこたちは、この子があやつっていたということですか？」

土羅蔵《どらくら》さんがたずね、うめ也《や》がうなずいた。

「そういうことになります」

「ウソだよね！」

アサギは叫《さけ》んだ。

「ゆうちゃん、そんなことしないよね？　お月見イベントも楽しみにしてたはずだよ。そんなゆうちゃんが、店をめちゃくちゃにしたりしないよ！」

「オレもあんまり納得《なっとく》できないな」

ばなにーさんが腕組《うでぐ》みして、ずいっと前に出てきた。

「今見た、心映《しんえい》の術《じゅつ》？　あれがその子の過去《かこ》だったんなら、コンビニ大好《だいす》きだってことだろ。この店でだって楽しそうにしてたぜ？　なんでこんな悪さをするんだ？」

「わかった！　その黒ねこが悪い子で、ゆうちゃんを乗っとったんじゃないの?!」

花美羅《かみら》さんが指を鳴らした。

「だよね！　ゆうちゃんもあやつられてたんだよ」

「ごめんね。おねえさんたち、マジで戦《たたか》っちゃって。怖《こわ》かったよね！」

美射奈《みいな》さんと絵笛芽羅《えふえめら》さんもうなずき、ゆうちゃんに優《やさ》しく声をかけた。

「ゆうちゃんは、コンビニ大好《だいす》きです。それはまちがいない」

うめ也《や》が、言った。

「でもそれだから、よくないんです。それが今回の問題で……」

「意味わかんないよ！　はっきりわかるように言って！」

「アサギさん、うめ也《や》店長を責《せ》めないでやってください。わたしの不首尾《ふしゅび》です」

宵一《よいち》さんが、今にもうめ也《や》に頭突《ずつ》きしそうな勢《いきお》いの、アサギを押《お》しとどめた。

「初《はじ》めてこの子を見かけたとき、彼女《かのじょ》はツキヨコンビニの前に立ち、じいっと見つめていました。この子には、この店が見えていた。だからすぐに人外《じんがい》の子だとわかりました。ただ、その気配におかしなものを感じました」

「おかしなもの？」

「はい。異様《いよう》な気配……だからこの子に声をかけました。そしたら逃《に》げだそうとした。そのときに、アサギさん、あなたが店から出てらした」

「あ、あのとき」

「わたしを怪《あや》しい人間だと思ったあなたは、この子を連《つ》れて店の中に飛《と》びこんだ。とっさに小さな子を守ろうとした、勇気《ゆうき》と行動力には感服します。また、うめ也《や》店長始め、お客さまがたも、この子に優《やさ》しく接《せっ》した。彼女《かのじょ》がそれで楽しくすごし、ツキヨコンビニのお客さまになってくれるようなら、そのまま見すごそうと思っていました。しかしそうはいかなかったのです」

宵一《よいち》さんは、苦い顔でふうっと息をついた。

「彼女《かのじょ》の異様《いよう》な気配はやはり……わたしが疑《うたが》った通り……コンビニ害獣《がいじゅう》のものでした」

「「「「コンビニ害獣《がいじゅう》？」」」」

そこにいたみんなが、いっせいに聞き返した。

非常口《ひじょうぐち》を飛《と》び出して

「コンビニ害獣《がいじゅう》？　なにそれ？」

びっくりしすぎてアサギの声が、引っくり返った。ほかのお客たちも、「なんだそれ」「初《はじ》めて聞いた」と、ざわついている。

「……コンビニやコンビニ関係者《かんけいしゃ》に強い執着心《しゅうちゃくしん》をいだき、そこにつきまとう妖怪《ようかい》です」

うめ也《や》が説明《せつめい》した。

「この店が大好《だいす》きでいつも店にいる妖怪《ようかい》ってことなら、オレたちもそうだぜ。なあ、土羅《どら》蔵《くら》さん」

ばなにーさんが言い、土羅蔵《どらくら》さんもうなずいた。

「コンビニ害獣《がいじゅう》はコンビニを好《す》きすぎるのです。いつまでも店にいたいし、店の関係者《かんけいしゃ》と

も離《はな》れたくない。それがかなわないと店に危害《きがい》を加《くわ》えます。今回のようにお客さまや従業《じゅうぎょう》員《いん》にも危険《きけん》が及《およ》ぶこともありますので、見すごせないのです」

うめ也《や》の説明《せつめい》に、アサギは頭が真っ白になった。

(コンビニが好《す》きすぎる……から？　害《がい》をあたえる？　そんなのって)

「きみの過去《かこ》を見て、よくわかりましたよ。サンオレンジ・マートが大好《だいす》きで、そこにいる人たちも好《す》きで、ずっとずっとあのコンビニにいたかったんですね？」

宵一《よいち》さんが、ゆうちゃんにたずねた。

「うん。だけど、ゆうちゃん、ずっといちゃダメって言われた」

それまで自分のことではないように、ぼんやり話を聞いていたゆうちゃんが、くしゃっと顔をゆがめた。

「ゆうちゃん、どこでもいちゃダメって言われる……。このお店も同じ」

アサギはゆうちゃんの言葉が、ずきんと胸《むね》に刺《さ》さった。

「この子の害獣化《がいじゅうか》が進む前になんとかできないかと思ったんですがね……。彼女《かのじょ》の居場《いば》所《しょ》の、墓《ぼ》地《ち》まで行ったものの話も全く聞いてくれないし、うめ也《や》店長も悪霊化《あくりょうか》した野良《のら》ねこたちに襲《おそ》われる始末《しまつ》で。そのときはなんとか抑《おさ》えられたのですが、今回はこんなものでは……」

宵一《よいち》さんはそこで言葉を切って、コートのポケットから「悪霊凍結《あくりょうとうけつ》スプレー」を取り出して見せた。

「こんなものでは、太刀打《たちう》ちできませんでした」

(墓地《ぼち》で、うめ也《や》が襲《おそ》われた？　それ、わたしがゆうちゃんのようすを見に行ってほしいって頼《たの》んだ、あのときだよね？)

「……うめ也《や》、いつからゆうちゃんの正体に気がついてたの？」

「墓場《はかば》で襲《おそ》われた後、社長からそうじゃないかって聞いて。このイベントも中止するかどうか迷《まよ》ったんだ。だけど、社長や店のみんなと話し合って、開催《かいさい》することに決めた。もし当日にゆうちゃんが来たら、すぐに対応《たいおう》するつもりだったんだ」

「ぼくももちこちゃんも『悪霊凍結《あくりょうとうけつ》スプレー』を持ってたんですけど、使うことすらできませんでした」

氷《ひょう》くんともちこちゃんが、しゅんとうなだれた。

「うめ也店長《や》も、氷《ひょう》くんももちこちゃんも、よくがんばってくれましたよ。ここまでの大《おお》事《ごと》になると想定できなかった、わたしの責任《せきにん》です」

宵一《よいいち》さんがお客たちに向き直った。

「みなさん、せっかくのイベントがこちらの不手際《ふてぎわ》で、このようなことになってしまい、申し訳《わけ》ありません。必《かなら》ずこのおわびの機会《きかい》をもうけますので」

そう言って深々《ふかぶか》とみなに頭を下げると、ゆうちゃんの手を取った。

「じゃ、行こうか」

「え！　待って！」

アサギは飛《と》び上がった。

「どこにゆうちゃんを連《つ》れていくんですか？」

「害獣化《がいじゅうか》する原因《げんいん》である、黒ねこの魂《たましい》を取り除《のぞ》いて……ゆうちゃんもねこもあの世に送り出しますよ。さ、行こうね」

宵一《よいいち》さんが、ゆうちゃんの手を握《にぎ》り直した。

アサギは、息をのんだ。

「じゃ、これでもう、ゆうちゃんとは会えないの？　そんな」

「アサギ、しょうがないんだ。このままゆうちゃんを、この世に置《お》いておくわけにはいかない」

「い、今すぐじゃなくちゃダメなの？　ゆうちゃん、もっとコンビニでみんなといたいんじゃないの？」

「おねえちゃん！」

ゆうちゃんは言いつのるアサギの方を振《ふ》り返った。今にもこぼれ落ちそうなほど、目には涙《なみだ》がいっぱいだった。

ゆうちゃんの肩《かた》に、宵一《よいち》さんが抱《かか》えこむように腕《うで》を回した。

「うめ也《や》店長、非常口《ひじょうぐち》の行き先を本部に変《か》えてくれ」

宵一《よいち》さんは、カウンターの横の非常口《ひじょうぐち》のとびらの前に立った。

「はい。氷《ひょう》くん、すまないが頼《たの》む」

もがき暴《あば》れるアサギを押《お》さえながら、うめ也《や》が指示《しじ》した。

「は、はい！」

氷《ひょう》くんが非常口《ひじょうぐち》の横の壁《かべ》を突《つ》つくと、操作《そうさ》パネルが現《あらわ》れた。

「ダメだよ、こんなの。おかしいって!!」

「アサギ！　しかたないことだ。あきらめてくれ」

「しかたないなんてことない！　なんかいい方法《ほうほう》あるかもだよ！」

めちゃくちゃに手足を振《ふ》り回したら、アサギを抱《かか》えこんでいたうめ也《や》の腕《うで》がはずれた。

アサギはだっと駆《か》け出した。

宵一《よいち》さんは、開いた非常口《ひじょうぐち》の向こうに、ゆうちゃんをそっと押《お》し出した。

その背中《せなか》に追いついたアサギはコートのすそをつかもうとした。しかし、するっとすそが逃《に》げた。

「あきらめてください。わたしはこの店を守らなくてはいけません」

宵一《よいち》さんが、アサギにそう言い残《のこ》し、とびらの向こうに一歩ふみ出した。

アサギはとっさに飛《と》び上がって、宵一《よいち》さんの黒い帽子《ぼうし》をたたき落とした。

「おっと」

ふいをつかれた宵一《よいち》さんのわきから、アサギはゆうちゃんに呼《よ》びかけた。

「ゆうちゃん、こっちにおいで！」

「アサギ、落ち着け」

うめ也《や》がアサギのすぐ後ろで言った。

「ヤダ！　ムリ！」

アサギはかん高い声で叫《さけ》んだ。

「ぼくに考えがある」

うめ也《や》はそう言いはなつと、アサギの背中《せなか》をドンと突《つ》き飛《と》ばした。

その勢《いきお》いにアサギは、ゆうちゃんにおおいかぶさるように、つんのめった。

二人はごろんともんどりうって、床《ゆか》に倒《たお》れこんだ。

「いた……」

顔を上げたら、目の前に見慣《みな》れたクローゼットがあった。

「え？　ここは」

目をぱちぱちさせて、あたりを見回した。そこはアサギの部屋《へや》だった。

（え？　非常口《ひじょうぐち》、ツキヨコンビニの本部に行き先を変《か》えてたんじゃないの？）

ゆうちゃんを起こして立ち上がると、クローゼットのとびらが大きく開いて、

「おおっと」

宵一《よいち》さんが声を上げて転がり出てきた。

続《つづ》いて、宵一《よいち》さんの帽子《ぼうし》をくわえたうめ也《や》が、飼《か》いねこの姿《すがた》で現《あらわ》れた。

「社長！　乱暴《らんぼう》なことをして申し訳《わけ》ありません！」

うめ也《や》は帽子《ぼうし》をわたして、あやまった。

「……白ねこくんは、無茶《むちゃ》するな。ここは？」

「アサギの部屋《へや》です」

宵一《よいち》さんが渋《しぶ》い顔で、腰《こし》を押《お》さえた。

「腰《こし》をうった」

「アサギ、いすを社長に！　それにくつ、はいたままだよ」

「あ、うん！」

アサギはぬいだスニーカーを部屋《へや》のすみに放りなげ、勉強机《づくえ》の前のキャスター付《つ》きのいすを宵一《よいち》さんの前に運び、座《すわ》ってもらった。宵一《よいち》さんもくつをぬぎ、ていねいに裏向《うらむ》きに

置《お》いた。

「きみに噛《か》まれた手も、まだずきずきする」

宵一《よいち》さんはアサギに、あざの上にうっすら歯型《はがた》の残《のこ》っている、右手の甲《こう》を見ながら情《なさ》けない顔をした。

「すいません……」

「まったく。飼《か》い主も飼《か》われてる方も、なにをするかわからんところがそっくりだな。で、うめ也《や》店長。いきなりこんなところに連《つ》れてきたからには、なにか考えがあってのことなんだな？」

「はい。可能《かのう》ならご検討《けんとう》いただきたいことがあります……」

うめ也《や》は、宵一《よいち》さんの前できちんと前足をそろえ、座《すわ》り直した。

みんながハッピーになる方法《ほうほう》

「検討《けんとう》したいこととは、なんだね？」

宵一《よいち》さんが、ひざの上で帽子《ぼうし》の形を整えながら、たずねた。

「ゆうちゃんを、あの世に送るのはしばらく待っていただけないでしょうか？」

うめ也《や》の言葉に、アサギとゆうちゃんは、はっと顔を見合わせた。

（うめ也《や》！　ゆうちゃんのこと考えてくれてたんだ！）

「待ってどうするのかな？」

「はい。ゆうちゃんは、とてもツキヨコンビニのことを気に入ってくれています。害獣化《がいじゅうか》さえしなければ、いいお客さまになっていただけると思います。ゆうちゃんが、心残《こころのこ》りがなくなるまで、この世にいてもらったらいいのではないかと」

「また、すぐに害獣化《がいじゅうか》するかもしれないよ」

ちらっと宵一《よいち》さんが、ゆうちゃんの顔を見た。

「彼女《かのじょ》の瞳《ひとみ》を見たところ、ほぼ獣《けもの》と一体化している。黒ねこの力を彼女《かのじょ》はとてもコントロールできないだろう」

「黒ねこの魂《たましい》をゆうちゃんから完全《かんぜん》に出してしまえば、獣《けもの》と一体化してなければ、ゆうちゃんにそこまでの力はありません」

うめ也《や》は、ひるまず言いつのった。

アサギは息をのみ、こわばっているゆうちゃんの肩《かた》をぎゅっと抱《だ》いた。

「今まで店を害《がい》した者は、すぐに本部に送って、しかるべき対応《たいおう》をしてきた……、なぜ、彼女《かのじょ》だけそんな特別扱《とくべつあつか》いをしなくちゃならない？」

宵一《よいち》さんが、腕組《うでぐ》みをしてうめ也《や》に聞き返した。

「アサギさんは、ゆうちゃんと会えなくなったらとても悲しむだろう。それにきみが耐《た》えられないから、そんなことを言っているのでは？　ツキヨコンビニの店長として、とても冷静《れいせい》な判断《はんだん》とは言えないね」

「いえ、店長だからこそ、言っているのです」

きりっと、目尻《めじり》を上げて、うめ也《や》が言い返した。

「ウチのお客さまたちは心優《やさ》しい。みなさん、ゆうちゃんの過去《かこ》を知り、同情《どうじょう》しておられます。ここでゆうちゃんをあの世に送ったら、悲しい気持ちになります。でも、ゆうちゃんがお客さまになって、楽しくツキヨコンビニですごしているのを見たら、みなさん、ほっとするでしょう。コンビニを好《す》きな者をとても大事にする店だと、評判《ひょうばん》にもなるかもしれません」

「そ、そうだよ！」

アサギもだまっていられなくなった。

「ゆうちゃんをゆるしてくれたら、みんな、社長さんのこと、めっちゃいい人だって思って感激《かんげき》するし！　お店の人気が爆上《ばくあ》がりだよ！　売り上げもアップするかもっ！」

宵一《よいち》さんは、ぴくっと眉《まゆ》を動かした。

「なるほど、それはあるかもしれないな……」

そうつぶやいて、しばらく考えた後、言った。

「……彼女《かのじょ》のめんどうをちゃんと見られるかな？　コンビニにいるときはもちろん、外にいるときもだ」

「ちゃんとします！」

うめ也《や》より先に、アサギは返事した。

「うちのどこかに住んでもらいます！　ママに見つからないようなところが、どこかあるはずです」

「バルコニーに置《お》いてある物置《ものお》きだったら、どうかな。あそこならめったに開けないし、ママにも強い影響《えいきょう》はないだろう」

アサギとうめ也《や》が話し合うのを、ゆうちゃんはぱちぱちとまぶしそうにまばたきしながら、見ていた。

「わかった。彼女《かのじょ》のことはうめ也《や》店長とアサギさんにまかせたよ」

宵一《よいち》さんが、とうとうそう言った。

「やったー!!　ゆうちゃん、いっしょにいられるよ！」

アサギがゆうちゃんの手を握《にぎ》った。

「ゆうちゃん、ここにいていいの？」

ゆうちゃんが聞いた。

「ああ、いいよ。ゆうちゃんがいたいだけいていいし、お店も会員になるといい」

うめ也《や》もうなずいた。

ゆうちゃんが、アサギとうめ也《や》の顔を交互《こうご》に見ながら、にこおっと笑《わら》った。青白かったほっぺたが、桃《もも》の実みたいなやわらかでみずみずしい色に染《そ》まった。

「では、すぐに本部に行こう。黒ねこの魂《たましい》は、早急にあの世送りにしなくては」

宵一《よいち》さんがそう言って立ち上がると、ゆうちゃんの笑顔《えがお》がぴくんと固《かた》まった。

そして、ささっとアサギの後ろにかくれた。

「ゆうちゃん。どうしたの？」

「もしかして怖《こわ》いのかな？　大丈夫《だいじょうぶ》だよ。黒ねこさんは、ゆうちゃんよりも先にあの世に行くけど、いずれまたこの世に生まれてくるしね」

うめ也《や》が言っても、ゆうちゃんは固《かた》い表情《ひょうじょう》のまま、イヤイヤと頭を振《ふ》る。

「ゆうちゃん？　黒ねこさんとはなれるのイヤなの？」

アサギはゆうちゃんのほっぺたに手を当ててたずねた。

ゆうちゃんは胸《むね》を手のひらで押《お》さえ、答えた。

「黒ねこさん、ずっといっしょ。いなくなるの……イヤだ。黒ねこさんもイヤだって」

「そっか。黒ねこさんもゆうちゃんに会えなくなるの、さみしいよね」

アサギは、うんうんとうなずいて、ちらっと宵一《よいち》さんの方を見た。

「社長さん……ゆうちゃんがこう言ってるんですけど……しばらく黒ねこもユーレイになって、ゆうちゃんといっしょにいちゃダメですか？」

「おいおい。さすがにそれは、聞けないよ」

「なんでですか？」

アサギは宵一《よいち》さんの前に、ぐいっとつめよった。

宵一《よいち》さんは、両手を上げ、後ずさりして言った。

「ユーレイ同士《どうし》でいたら、なにかのきっかけでまた魂《たましい》がまじり合うかもしれない。その黒ねこはとても彼女《かのじょ》のことを好《す》きで、気持ちに共鳴《きょうめい》しやすいようだからね。また害獣化《がいじゅうか》する可能性《かのうせい》がある」

「ユーレイ同士《どうし》じゃダメなんですか！　ゆうちゃんも黒ねこも、さみしくなくて……みんながハッピーになる方法《ほうほう》はないのかなあ」

アサギが頭を抱《かか》えたとき、

「ぼく、いい方法《ほうほう》を思いつきました！」

うめ也《や》がピンとしっぽを立てた。

「社長！　ご検討《けんとう》いただきたいことがあります！　これなら……きっと、みんながハッピー、うまくいきます！」

宵一《よいち》さんが、虫歯の痛《いた》みに耐《た》えているような顔つきになった。そして深いため息をついて、いすを引き寄《よ》せ、また座《すわ》った。

「……聞こうか。言ってみたまえ……」

うめ也《や》はうめ也《や》

「いらっしゃいませ」

アサギが店に入ると、氷《ひょう》くんが声をかけてきた。

「今日はゆうちゃん、いっしょじゃないんですか？」

「うん、ゆうちゃん、よく寝《ね》てたから、起こさなかった。きっと目がさめたら追いかけてくるよ」

「結局《けっきょく》、ゆうちゃんの居場所《いばしょ》、郵便受《ゆうびんう》けに決まったんですか？」

「そう。郵便受《ゆうびんう》けってさ、せまいし、郵便物《ゆうびんぶつ》も入るしさ。一階のエントランスだから、人の出入りも多いし、落ち着かないんじゃない？　って言ったんだけど、なんか気に入ったみたいだよ」

ゆうちゃんは、あのお月見イベントの日から、アサギのマンションに住んでいるのだが、どこを居場所《いばしょ》にするかでしばらく、落ち着かなかったのだ。

「うめ也《や》はベランダの方が、すぐにようすを見に行けるからってすすめたんだけど、ゆうちゃん、ハトやカラスが来るのがイヤなんだって」

立ち話するアサギの横から、きゃああっとかん高い歓声《かんせい》が上がった。

見ると、イートインコーナーの真ん中に並《なら》んで座《すわ》った花美羅《かみら》さん、美射奈《みいな》さん、絵笛芽《えふえめ》羅《ら》さんがタブレットを前に盛《も》り上がっている。

「いやー！　もふもふっ！」

「かわいすぎるよー！」

「ああっ。なでなでしたい！」

「花美羅《かみら》さんたち、また、子ねこ動画見てるの？」

アサギは小声で氷《ひょう》くんに聞いた。

「はい。子ねこのかわいさに、はまってしまったみたいです。みなさんもすっかり夢中《むちゅう》で」

氷《ひょう》くんの言う通り、ばなにーさんと土羅蔵《どらくら》さんも、花美羅《かみら》さんたちの後ろから、熱心《ねっしん》に画面をのぞきこんでいた。

アサギがみんなのところに行くと、全員が画面を指さし、口々《くちぐち》に声を上げた。

「見て、かわいいよ！」「黒ねこちゃんが一番かわいい」「元気いっぱい！」「早く見てください」「かわいすぎるよな！」

（いや、かわいいのはよくわかってるから。ママのタブレットでもゆうべ見たし）

そう思いながらも、みんなにまじって真っ黒の子ねこの映像《えいぞう》を見たとたん、

「かわいーい!!!」

だれよりも大きな声が出た。

ゆうちゃんの体からはなれ、生まれ変《か》わった黒ねこは、元気いっぱい。白黒ブチやキジトラの兄弟の中で一番ヤンチャな感じで、ひとときもじっとしないで動き回っている。

黒ねこが、ひょこひょこ歩いてはなれていくのを、三毛の母ねこがあわててつかまえた。

そのようすを撮影《さつえい》している飼《か》い主の男性《だんせい》が、笑《わら》い声を上げている。

「この飼《か》い主さんも、いい人みたいだしさ。黒ねこもいい感じで生まれ変《か》わって、よかったな」

ばなにーさんの言葉に、アサギはうなずいた。

「ほんとにそう。ゆうちゃんも、毎日、動画がアップされるの楽しみにしてるよ」

——黒ねこがユーレイのままだとまずいんでしたら、生きたねこになるのはどうですか？

あのとき、うめ也《や》は宵一《よいち》さんにそう提案《ていあん》したのだ。

——生きたねこって、すぐに生まれ変《か》わらせるってことか？

——はい。あの世に送ったらいずれ生まれ変《か》わるんですから、ちょっとそれが早くなるだけです。生きたねこならどんなにゆうちゃんと共鳴《きょうめい》したって、魂《たましい》がまじらないですからぜったいに害獣化《がいじゅうか》しませんし！

——それがいいよ！　うめ也《や》、天才じゃん！　社長、おねがいします！

——社長！　ご検討《けんとう》を！　前向きに！　おねがいします！

宵一《よいち》さんは、妖怪《ようかい》になるならともかくこの世の生き物に生まれるんだったら、そう都合よくいかないとか、最初《さいしょ》はしぶっていたが、うめ也《や》とアサギの勢《いきお》いにとうとう折《お》れた。

——なんとか本部に交渉《こうしょう》してみるよ……。

そう約束《やくそく》してくれたのだ。

その数日後、うめ也《や》がこの動画「天使のキャットさま・生まれましたチャンネル」を見せてくれた。

——黒ねこさん、ここの家の子に、生まれたよ。本当は四匹《ひき》しか生まれない予定のところを、社長のゴリ押《お》しで五匹《ひき》にしてもらったんだ。すぐに会いに行けるような近さではないけれど。でも毎日、こうして姿《すがた》が見える環境《かんきょう》のところを選《えら》んだから、これでかんべんしてくれって社長からの伝言《でんごん》だ。

直接《ちょくせつ》会えないのを、ゆうちゃんはさびしがるかな……、アサギとうめ也《や》はドキドキしながら、ゆうちゃんに動画を見せた。

するとゆうちゃんは、動画を見るなり目を輝《かがや》かせた。

——黒ねこさん、生きてる。ピカピカしてる！　わあ！

そう喜《よろこ》んだゆうちゃんの笑顔《えがお》もピカピカで、アサギとうめ也《や》はほっとして、何度もうなずき合ったのだった。

「アサギ。来たか」

天使のキャットさま
生まれました
チャンネル

うめ也《や》がカウンターの中から出てきた。

「玉兎《ぎょくと》さんが、アサギに意見を聞きたいことがあるって言ってる。リモート会議《かいぎ》に参加《さんか》してくれないか？」

「え、わたしに意見？　また、新しいスイーツを考えるとか？」

「スイーツのことも、議題《ぎだい》の一つなんだけど、メインはイベントのことなんだよ」

「イベント？」

「お月見イベントで迷惑《めいわく》をかけてしまったお客さまをご招待《しょうたい》して、なにか、楽しいイベントができないかって社長がおっしゃってる。今からその話し合いをするんだけど、アサギにも、いいアイデアを出してもらいたいって玉兎《ぎょくと》さんが」

「おお、お月見イベントのやり直し企画《きかく》ですか？　それはうれしいですね」

「いいね、いいね。社長さんのご招待《しょうたい》か！」

さっそく土羅蔵《どらくら》さんと、ばなにーさんがうれしそうに言った。

「それって、わたしたちも招待《しょうたい》してもらえるの？」

花美羅《かみら》さんがたずねた。

「もちろんです」

うめ也《や》がうなずき、花美羅《かみら》さんたち三姉妹《しまい》は歓声《かんせい》を上げた。

「そんなの、わたし、もう、ばんばんアイデア出しちゃうよ」

アサギはぴょんといすから飛《と》び降《お》りた。

「あのさ、ゆうちゃんが会員になったのもよかったけど、黒ねこちゃんの生まれ変《か》わりもすっごくみんな喜《よろこ》んで毎日盛《も》り上がってるからさ。それを記念《きねん》するイベントはどうかな？それで、グッズとか、スイーツとか、ぜんぶ黒ねこちゃんにするとか！」

「『黒ねこちゃんまつり』って感じね！　それ、おもしろそう！」

「わたし、黒ねこちゃんの、もふもふコスプレとかしたい！」

「それいい！　やりたい！」

「わ、いいですね！　コスプレ、みんなでやってもいいかも！」

アサギは花美羅《かみら》さん、美射奈《みいな》さん、絵笛芽羅《えふえめら》さんとハイタッチした。

「ははは、アサギ、どんどんいいアイデアが出るな！　その続《つづ》きは会議《かいぎ》で出してくれよな」

うめ也《や》は腰《こし》に手を当てて、いっしょに笑《わら》っている。

（……今日は、会議《かいぎ》よりも宿題を先に！　とか、言わないのかな）

アサギは、なんとなくヘンな気がして、うめ也《や》のようすを横目で観察《かんさつ》した。

二本のしっぽは、ゆるやかに下がっていて、本当に機嫌《きげん》がよさそうだ。

（まあ、うめ也《や》の方から、会議《かいぎ》に参加《さんか》してくれって言ってきたんだもんね。うめ也《や》もとう、わたしのコンビニ・アドバイザーとしての能力《のうりょく》を認《みと》めてくれたのかな？　ま、そうだよね。ちょっとぐらい宿題が遅《おく》れても、ツキヨコンビニがうまくいく方が大事！）

「よーし！　会議《かいぎ》、張《は》りきって行くぞー！」

アサギは、腕《うで》をぶんぶん回しながら、カウンターの奥《おく》、バックヤードに入った。

「玉兎《ぎょくと》さん、お待たせ……あれ？」

控室《ひかえしつ》のパソコンモニターは電源《でんげん》がオフになっていた。

「玉兎《ぎょくと》さんとリモートで会議《かいぎ》するんじゃないの？」

「うん、そうだけど、まず、アサギ、ここに座《すわ》って」

うめ也《や》が事務机《じむづくえ》の前に、アサギを座《すわ》らせた。

「会議《かいぎ》はこれがすんでからだ」

うめ也《や》は机《つくえ》の引き出しから、プリントの束《たば》を取り出した。

「ゆうちゃんのことにかまけて、家でぜんぜん勉強してないだろ。だからここで一人でするといいよ。静《しず》かだし、落ち着いて取り組めるだろう」

「え、ええー?!」

(ランドセルの中に入れっぱなしにしてた宿題！　いつのまにここに！)

「でも、あの、玉兎《ぎょくと》さんを待たせたらいけないんじゃないの？」

「会議《かいぎ》は宿題をすませてからでいいって、玉兎《ぎょくと》さんも言ってるよ。計算問題は終わったら、土羅蔵《どらくら》さんが丸つけしてくれるからね。そうそう、明日は漢字のテストがあるだろ？　漢字の練習ノートも持ってきてるからね。がんばって」

うめ也《や》はぽんとアサギのペンケースをプリントの上にのせ、控室《ひかえしつ》を出ていった。

「……そんなあ」

アサギは、プリントの上に突《つ》っぷした。

(やっぱり、うめ也《や》はうめ也《や》だった。やられたあ！)

アサギは特別《とくべつ》な人間？

（よしよし、大人しく宿題をしてるな）

控室《ひかえしつ》のとびらのかげから、机《つくえ》に向かうアサギのようすを確認《かくにん》したうめ也《や》は、うなずいて、カウンターの業務《ぎょうむ》にもどった。

（あとで、なにか飲み物を持っていってやろう）

などと考えていたら、店の自動ドアが開いた。

「「いらっしゃいませ！」」

氷《ひょう》くんといっしょに、開いたドアに向かって声をかけたら、そこには宵一《よいち》さんが立っていた。

「あ、社長！」

うめ也《や》はおどろいて、カウンターから出て宵一《よいち》さんを出迎《でむか》えた。

「今日はなにかご用ですか？」

「いや、出かけたついでに、ちょっと店のようすを見に寄《よ》っただけだよ。やあ、みなさん、いらっしゃいませ。いつも当店をごひいきいただき、ありがとうございます」

宵一《よいち》さんは、帽子《ぼうし》をぬいでお客たちにあいさつすると、さんぽするようなのんきさで、ぶらぶらと棚《たな》の間の通路を歩き始めた。

うめ也《や》は宵一《よいち》さんの後ろを追いかけた。

うめ也《や》が自分のすぐ後ろに来た瞬間《しゅんかん》、宵一《よいち》さんはうめ也《や》にだけ聞こえるような低《ひく》い声で言った。

「アサギさんのようすはどうかな？」

「アサギは、あい変《か》わらずとても元気です。元気すぎるぐらいで」

「そうか。彼女《かのじょ》はこの世界の適性《てきせい》が、よほどあるんだな」

「そうですね。ふつうの人間なら、この店にいたら、だんだん元気がなくなるんですが、アサギは逆《ぎゃく》にいきいきしてきています」

「ツキヨコンビニに来ると、さらにパワフルになるってことかな？」

「ええ、そうですね。どんどんパワーアップしている感じで！　もうタジタジですよ！」

うめ也《や》が笑《わら》って言うと、宵一《よいち》さんがくるりと振《ふ》り向いた。

「……どんどんパワーアップしている感じなんだね？　確《たし》かか？」

うめ也《や》は真顔《まがお》になって答えた。

「ええ、確《たし》かです」

「それならアサギさんは、よほど適性《てきせい》がある。というより適性《てきせい》がありすぎるのかもしれん」

「適性《てきせい》がありすぎるって……」

「つまりこの世の人間世界よりも、ツキヨコンビニのような異界《いかい》の方が、力が発揮《はっき》できる、そういう特別《とくべつ》な人間なのかもしれん」

「それって」

うめ也《や》は、ドキンとして、宵一《よいち》さんの目をのぞきこんだ。

「つまりあなたと同じってことですか？」

宵一《よいち》さんがうなずいた。

「その可能性《かのうせい》が高い。このままでいくと、アサギさんは近いうちに……」

「わたしが、なーに？」

のびやかな声がして、宵一《よいち》さんとうめ也《や》は、はっと話をやめた。

棚《たな》の向こうから、アサギが顔を出し、目をくるくるさせていた。

「二人でわたしのこと話してた？　なになに？」

「アサギ、今の話は」

あわてて言いつくろおうとするうめ也《や》を、宵一《よいち》さんは目くばせして止めた。

「あなたのことをほめてたんですよ」

にこやかに宵一《よいち》さんが言った。

「え、ほんとに？」

アサギが言った。

「ほんとですよ。すごくパワフルに、この店を助けてくださるから、わたしもおどろいているんですよ」

「アサギ、宿題はまだすんでないだろ？　休憩《きゅうけい》がすんだら続《つづ》きを……」

うめ也《や》が話を変《か》えようとした。

「宿題は全部やっちゃったよ！　今、土羅蔵《どらくら》さんが採点《さいてん》してくれたんだけど、みーんな丸だったよ！」

アサギがえへんと、胸《むね》を張《は》った。

「もう？　ずいぶん早いじゃないか」

「お店でやると、宿題、家でやるより早くできるし、なんか調子いいんだけど。これって、ツキヨコンビニのおかげだったりして！」

アサギが笑《わら》った。うめ也《や》は、ゴクンとつばを飲んで、うなずいた。

「そ……それは、そうだろ。土羅蔵《どらくら》さんが、家庭教師《かていきょうし》みたいにわからないところを教えてくれるんだから」

「アハハ、やっぱそうかあ」

アサギは頭をかいて笑《わら》った。

「宿題すんだから、もう会議《かいぎ》に参加《さんか》できるよ！」

「あ、ああ。じゃ、玉兎《ぎょくと》さんを呼《よ》び出すから、会議《かいぎ》の前に、イートインコーナーで飲み物でも飲んで一休みしてきたら？」

「そうしてください。わたしが、好《す》きなものをごちそうしますよ」

宵一《よいち》さんが言った。

「え、ほんとですか?! わーい!!」

アサギは大喜《おおよろこ》びで、イートインコーナーに走っていった。

うめ也《や》と宵一《よいち》さんは、ウサギのように飛《と》びはねて、妖怪《ようかい》たちのもとに駆《か》けていくアサギの後ろ姿《すがた》を、ただ、だまって見つめていた。

つづく

令丈《れいじょう》ヒロ子《ひろこ》

作家。大阪府生まれ。嵯峨美術短期大学卒業。講談社児童文学新人賞に応募した作品が注目され、作家デビュー。おもな作品に「若おかみは小学生！」シリーズ、『パンプキン！ 模擬原爆の夏』『長浜高校水族館部！』『よみがえれマンモス！ 近畿大学マンモス復活プロジェクト』『病院図書館の青と空』（以上、講談社）、『妖怪コンビニで、バイトはじめました』（あすなろ書房）がある。2018年、「若おかみは小学生」シリーズがテレビアニメ化、劇場版アニメ化されて大きな話題になった。

妖怪コンビニ②
化けねこ店長vsコンビニ害獣

2022年12月30日　初版発行

著者　令丈ヒロ子
画家　トミイマサコ
装丁　城所潤
発行者　山浦真一
発行所　あすなろ書房
〒162-0041 東京都新宿区早稲田鶴巻町551-4
電話 03-3203-3350（代表）
印刷所　佐久印刷所
製本所　ナショナル製本

ISBN978-4-7515-3135-8 NDC913 Printed in Japan